講給孩子的

故宮——又見蘇東坡

中華教育

祝勇 著

來故宮了解 **蘇東坡！**

相遇

文學

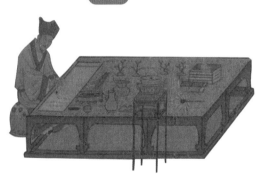

入仕

書法

交友

嶺南

求生

繪畫

破竈燒濕葦那
知是寒食但見烏
銜紙　君門深
九重墳墓在萬里也擬
哭塗窮死灰吹不

晚星宜
倍萬自愛耳　思
今多審更不盡村
羅
夢得　祗揆閣下

六月十二日

目 錄

相遇

在很多年前的一次「時光倒流，你願意生活在哪個朝代？」的網絡民調中，宋代位居第一。對此我不持異議，因為宋代人的生活中，有辭賦酌酒，有絲弦佐茶，有桃李為友，有歌舞為朋。

我們今天最廣泛使用的字體——宋體，也是用這個朝代命名的，這是因為在宋代，一種線條清瘦、平穩方正的字體取代了粗壯的顏式字體，這種新體，就是「宋體字」，可見那個朝代影響之深遠。更不用說山水園林、金石名物、琴棋書畫、民間娛樂，都在宋代達到高峰。

在故宮邂逅蘇東坡

在宋代，有這樣一位才子，世人皆熟知，也是我最想書寫的，今天我們常喚他「蘇東坡」。

這不僅是因為蘇東坡在宋代的歷史舞台上十分重要，他的詞句時常在中國人的心頭縈繞。比如「十年生死兩茫茫，不思量，自難忘」；比如「揀盡寒枝不肯棲，寂寞沙洲冷」；比如「老夫聊發少年狂，左牽黃，右擎蒼」；比如「回首向來蕭瑟處，歸去，也無風雨也無晴」；比如「枝上柳綿吹又少，天涯何處無芳草」；比如「但願人長久，千里共嬋娟」；比如「小舟從此逝，江海寄餘生」；更不用說「大江東去，浪淘盡，千古風流人物」……

這些詞裏面，有孤獨，有相思；有柔情，有豪放；有挫敗，有掙扎；有苦澀，有灑脫。蘇東坡的文學作品，幾乎包含了我們精神世界裏的所有主題。於是，幾乎每一個中國人，都會在不同的境遇裏，與他相遇。

更是因為蘇東坡好玩兒。他機智、幽默、坦蕩，樂於和自己的苦境相周旋，從不絕望，也從不泯滅自己的創造力。甚至可以說，他文化和人格中所有的亮點，都是由他所處的苦境激發出來的。蘇東坡不僅讓我們見證了世界的荒謬與黑暗，也讓我們看到了人的潛能，看到了中國文化精神的茁壯。

作為故宮博物院的一名工作人員，我更多地想把蘇東坡的精神世界與「藝術史原物」透過文字聯繫起來。2020 年，故

宮肇建 600 年之際，北京故宮博物院在文華殿舉辦了規模盛大的「千古風流人物：故宮博物院蘇軾主題書畫特展」，在觀看與賞玩之餘，我相信每一個人都能從蘇東坡的藝術裏重新感受到人生，而蘇東坡，也定然在後人的閱讀裏，一遍遍地重新活過。

《蘇軾小像》（《赤壁二賦》卷引首）

元・趙孟頫

台北故宮博物院 藏

入 仕

蘇東坡一生的主題，並不是如何報效朝廷，而是如何與自己的命運對抗。

年輕的蘇軾從故鄉奔向當時帝國的中心，又被飛速變幻的政治甩向深不可知的荒野。王朝為他預置的命運，幾乎與他第一首詩中的主人公別無二致。

我當憑軾與寓目，看君飛矢集蠻氈

蘇軾寫下的第一首詩是甚麼？

我們今天所能見到的蘇軾的第一首詩，應該是《郭綸》。

公元 1059 年，蘇軾與蘇轍這兩位大宋王朝的新科進士，回鄉為母親程夫人丁憂三年之後，在秋涼時節，帶着家眷，走水路返回汴京。過嘉州時，在落日蒼茫的渡口，蘇軾抬眼就看到了郭綸。

那時的郭綸逆光而坐，默數着河流中的船隻。蘇軾看到了他粗硬的輪廓，卻想像不出蟄伏在那輪廓裏的巨大能量，更不曾見過他身邊那匹瘦弱的青白快馬，曾像閃電一樣馳過瀚海大漠。這位從前的英雄，曾在河西一帶無人不識。那名聲不是浪得的，定川寨一戰，當西夏的軍隊自地平線上壓過來時，人們看到郭綸迎着敵軍的方向衝去，用手裏的丈八蛇矛，在敵酋的脖子上戳出了一個血窟窿，讓對手的滿腔熱血，噴濺成一片刺眼的血霧。這般的勇猛，沒有在西域的流沙與塵埃中湮沒，卻被一心媾和的朝廷一再抹殺。

宋仁宗慶曆四年（公元 1044 年），范仲淹寫下著名的《岳陽樓記》那一年，宋夏簽訂和平協議，戰爭結束了，英雄失去了價值，郭綸於是騎上他的青白馬，挎上曾經讓敵軍膽寒的弓箭，孤孤單單地踏上遠行的路。他不知道自己是怎樣走到四川來的，更不知道下一步要去向哪裏，只是在一個不經意

的瞬間，與蘇軾迎面相遇。

　　於是，年輕的蘇軾寫下了這樣的詩句：

> 河西猛士無人識，
> 日暮津亭閱過船。
> 路人但覺驄馬瘦，
> 不知鐵槊大如椽。
> 因言西方久不戰，
> 截髮願作萬騎先。
> 我當憑軾與寓目，
> 看君飛矢集蠻氈。

　　幾百年後，編修《四庫全書》的紀曉嵐讀到這首詩，淡然一笑，說：「寫出英雄失路之感。」

　　是美人，就會遲暮；是英雄，就有末路。這是世界的規律。只是她（他）們還是美人或英雄的時候，都不會意識到這一點。年輕的蘇軾在那一天就看到了自己的劫數，只不過那時的他，剛剛見識到這個世界的壯闊無邊，他的內心深處，正風雲激盪，還來不及收納這般的蒼涼與虛無，更不會意識到，郭綸的命運，並不只是他一個人的命運，而是所有人的命運。

　　夜色壓下來，吞沒了郭綸的身體。他的臉隱在黑暗中，滔

滔的江水中，他聽不見蘇軾的竊竊私語。

蘇軾在科舉考試中的表現如何？

公元 1056 年，宋代的春天，蘇軾平生第一次離開自己生活了近二十年的故鄉眉州，自閬中上終南山，和父親蘇洵、弟弟蘇轍一起，走上褒斜谷迂迴曲折、高懸天際的古棧道，經大散關進入關中，再向東進入河洛平原，前去汴京參加科考。

第二年，蘇軾、蘇轍參加了禮部初試，主考官的名字叫歐陽修，自號「醉翁」。這位主考官憑藉《醉翁亭記》這樣的千古名篇為今天的我們所熟知。

第一次聽說歐陽修的名字時，蘇軾還是七八歲的孩子，剛剛開始入天慶觀北極院的私塾讀書。有一次，一位先生從京師來，對范仲淹、歐陽修這些人的詩詞文章及品行大加讚賞，蘇軾聽了，就好奇地問：「你說的這些人是甚麼人？」先生不屑地說：「童子何用知之！」意思是小孩子知道這些幹甚麼，沒想到蘇軾用稚嫩的聲音反駁道：「此天人也耶，則不敢知；若亦人耳，何為其不可？」這樣睿智的語言，出自小兒之口，令在場的人驚愕不已。

參與修撰《新唐書》的歐陽修，當時是大宋帝國的禮部侍

《灼艾帖》

北宋・歐陽修

北京故宮博物院

郎兼翰林侍讀學士，也是北宋文壇的領袖之一。今天的北京故宮博物院，還收藏着他的多幀墨稿，最有名的就是《灼艾帖》了。這幅字，書法端莊勁秀，既露鋒芒又頓挫有力。

　　那時，北宋文壇空虛造作、奇詭艱澀的文風已讓歐陽修忍無可忍。在他看來，那些華麗而空洞的詞藻，就像是一座裝飾華美的墳墓，埋葬了文學的生機。剛好在這個時候，他讀到了蘇軾、蘇轍的試卷，其文風之質樸、立論之深邃，刷新了歐陽修的認知，讓他拍案叫絕。他自己看不夠，還拿給同輩傳看。

TIP

宋代的科舉，朝廷擴大了錄取的名額，遠遠超過了唐代，平民階層在社會階層中上行的概率，也遠遠高於唐代。唐代的「事前請託」，也就是考生把自己的詩文進呈給考官以自我推薦的做法也被杜絕了，代之以糊名制度，就是把考生所填寫的姓名、籍貫等一切可能作弊的資料信息全部密封，使主考官和閱卷官無法得知每張卷子是誰的。這使得像蘇軾這樣沒有家世背景的讀書人能夠更公平地為朝廷所用。

只不過，歐陽修以為如此漂亮的文章，只有自己的學生曾鞏才寫得出來，出於避嫌的考慮，他把原本列入首卷的文章，改列為二卷。

蘇軾因此名列第二。

接下來的殿試中，章衡第一，蘇軾第二，曾鞏第三，蘇轍第五。

宋代開國之初，立志打造一個文治國家，世代君主，莫不好學，而執政大臣，也無一不是科第出身，以學問相尚，把有宋一代的中國鍛造為一個文明燦爛的文化大帝國。

歐陽修就這樣在試卷上認識了蘇軾。

蘇氏兄弟的才華，撥動了歐陽修與張方平的愛才之心，使這兩位朝廷上的死對頭，步調一致地薦舉這兩位年輕人。但他們掌控不了蘇軾的命運，朝廷政治如同一個迅速轉動的骰子，沒有邏輯可言，而它的每一次停止，都會決定一個人的生死與榮辱。

《文官圖》壁畫（局部）

北宋・佚名

北京故宮博物院 藏

蘇軾在朝廷為官時遇到了哪些困難？

有人說，蘇軾的困境，來自小人的包圍。

所以，蘇軾要「突圍」。

這固然不假，在蘇軾的政治生涯裏，從來沒有擺脫過小人的圍困。在北京故宮博物院收藏的殘存的《文官圖》泥質壁畫上，宋代官僚的樣貌，比戲曲舞台上更加真實。

實際上，奠定了蘇軾一生政治悲劇的，非但不是小人，相反是一位高士。那就是他一生中最大的政敵──王安石。

當時的宋王朝，雖承平日久，外表華麗，但內部的潰爛，卻早已成了定局。早在十多年前，王安石就曾寫下長達萬言的《上仁宗皇帝言事書》，痛陳國家積弱積貧的現實：經濟困窘、社會風氣敗壞、國防安全堪憂。正是這紙萬言書，一舉奠定了王安石後來的政治地位。

宋神宗趙頊是在治平四年（公元 1067 年）即位的，第二年改年號為熙寧元年。四月裏的一個早晨，宋神宗召請四十六歲的王安石入朝，那一年，宋神宗十九歲。宋神宗問王安石：「朕治理天下，要先從哪裏入手？」王安石神色不亂，答曰：「選擇治術為先。」宋神宗問：「卿以為唐太宗如何？」王安石答：「陛下當法堯舜，唐太宗又算得了甚麼呢？堯舜之道，至簡而不煩，至要而不迂，至易而不難。只是後來的效法者不了解這

些，以為高不可及罷了。」宋神宗説：「你是在責備朕了，不過，朕捫心自問，不願辜負卿意，卿可全力輔佐朕，你我君臣同濟此道。」

自那一天起，年輕的宋神宗就把所有的信任給了王安石，幾乎罷免了所有的反對派，包括呂公著、程顥、楊繪、劉摯等。於是有了歷史上著名的「王安石變法」，又稱「熙寧變法」。

蘇軾初出茅廬（官居判官告院，兼判尚書祠部），卻站在反對王安石的行列裏。他不是反對變法，而是反對王安石的急躁冒進和黨同伐異。

優美的紙上設計，變得醜陋不堪──惠及貧苦農民的「青苗法」，最終變成盤剝農民的手段；而「募役法」的本意是讓百姓以賦税代兵役，使他們免受兵役之苦，但在實際操作中，又為各級官吏搜刮民財提供了堂皇的藉口，每人每戶出錢的多寡根本沒有客觀的標準，全憑地方官吏一句話。王安石心目中的美意良法，等於把血淋淋的割肉刀，遞到各級貪官污吏的手中。

蘇軾敏鋭地意識到，眼前正是一個危險而黑暗的時代。那時的他，縱然有宋神宗賞識，畢竟人微言輕。他可以明哲保身，但他是個任性的人，明知是以卵擊石，卻仍忍不住要發聲。

那是熙寧四年（公元 1071 年）正月，宋神宗祕密宣見蘇軾。

　　垂拱殿裏，宋神宗第一次見到傳說中的蘇軾。那一年，蘇軾三十四歲。

　　宋神宗的召見，讓蘇軾看到了希望。他難以抑制內心的興奮，擅自把這件事說給了朋友聽。但他還是太年輕，太缺乏城府，如此重大的事件，怎能向他人述說？宋神宗召見蘇軾，就這樣被他自己走漏了風聲，而且，這風聲必然會傳到王安石的耳朵裏，讓他有所警覺，有所準備。

　　召見蘇軾後，宋神宗也的確感覺蘇軾是個人才，有意起用他，做起居注官。那是一個幾乎與皇帝朝夕相處的職位，對皇帝的影響，也會更大。但王安石早有準備，成功阻攔了此事，任命蘇軾到開封府做了推官，希望用這些吃喝拉撒的行政事務，捆住蘇軾的手腳。

　　但蘇軾沒有忘記帝國的危機。二月裏，蘇軾寫了長達三千四百餘字的《上神宗皇帝書》。

　　他的命運，也因此急轉直下。

　　蘇軾不會想到，自己的才華與政績，終究還是給朝廷上的小人們提供了「精誠合作」的理由。那個寫出《夢溪筆談》的沈括對蘇軾的才華始終懷有深深的嫉妒，李定則看不慣地方百姓對蘇軾的擁戴，尤其蘇軾在離開徐州時，百姓遮道攔馬，流淚追送數十里，更令李定妒火中燒。當然，他們的兇狠裏，還包含着對蘇軾的恐懼，他才華橫溢，名滿天下，又深得皇

帝賞識，説不定哪天會得到重用，把持朝廷，因此，必須先下手為強。

罪名，當然是「譏訕朝政」。蘇軾口無遮攔，這是他唯一的軟肋。

當沈括到杭州見蘇軾的時候，蘇軾絲毫不會想到，這位舊交，竟然是「烏台詩案」的始作俑者。

也是在熙寧四年，七月裏，蘇軾帶着家眷，到杭州任通判。杭州的湖光山色、清風池館，使蘇軾糾結的心舒展了許多。然而，在江南扯不斷的梅雨裏，在鷺鷥驚飛的空寂裏，他還是聽到了百姓的哀怨與痛哭。

TIP

歷史上所說的「烏台詩案」，「烏台」就是御史台。它位於汴京城內東澄街上，與其他官衙一律面南背北不同，御史台的大門是向北開的，取陰殺之義，四周遍植柏樹，有數千烏鴉在低空中迴旋，造成一種暗無天日的視覺效果，所以人們常把御史台稱作烏台。以顏色命名這個機構，直截了當地指明了它的黑暗本質。「詩」，當然是指蘇軾那些惹是生非的詩了。

沈括，就在這個時候來到蘇軾身邊，表面上與蘇軾暢敍舊情誼，實際上是來做臥底的。他要騙取蘇軾的信任，然後搜集對蘇軾不利的證據。天真的蘇軾，怎知人心險惡，沈括自然很容易就得逞了。他拿走了蘇軾送給他的詩集，逐條批注，附在察訪報告裏，上交給皇帝，告他「詞皆訕懟」。

從此，「烏台詩案」寫進了中國古代文字獄的歷史，它代表着變法的新黨與保守的舊黨之間的政治鬥爭，已經演變為朋黨之間的傾軋與報復。

根據蘇軾後來在詩中的記述，他在御史台的監獄，實際上就是一口百尺深井，面積不大，一伸手，就可觸到它粗糙的牆壁，他只能蜷起身，坐在它的底部，視線只能向上，遙望那方高高在上的天窗。這是一種非人的身體虐待，更是一種精神的折磨。他終於知道了大宋政壇的深淺。那深度，就是牢獄的深度。

蘇軾踏着殘雪走出監獄，是在元豐二年（公元 1079 年）舊曆除夕之前。他的衣袍早已破舊不堪，在雪地的映襯下更顯寒磣。他覺得自己就像一滴污漬，要被陽光曬化了。儘管那只是冬日裏的殘陽，但他仍然感到陽光的溫暖和明媚。

到那一天，他已在這裏被折磨了整整一百三十天。

出獄當天，他又寫了兩首詩，其中一首寫道：

平生文字為吾累，

此去聲名不厭低。

塞上縱歸他日馬，

城東不鬥少年雞。

「少年雞」，指的是唐代長安城裏的鬥雞高手賈昌，少年時因鬥雞而得到大唐天子的喜愛，實際上是暗罵朝廷裏的諂媚小人。

寫罷，蘇軾擲筆大笑：「我真是不可救藥！」

求生

11世紀，那個慷慨收留了蘇軾的黃州，實際上還是一片蕭索之地。這座位於大江之湄的小城，距離今天的武漢市僅需一個小時的車程，如今早已是滿眼繁華，而在當時，卻十分寥落荒涼。在這個地方，蘇軾的生命裏，到底發生了甚麼？

誰怕？一蓑煙雨任平生

來到黃州之後，蘇軾過着怎樣的生活？

蘇軾在兒子蘇邁的陪伴下，一路風塵、踉踉蹌蹌地到了黃州——一個原本與他八竿子打不着的荒僻之地。

那時的蘇軾，一身鮮血，遍體鱗傷。烏台詩案，讓他領教了那個朝代的黑暗。所幸，他沒有被推上斷頭台。

黃州雖遠，畢竟給了他一個喘息的機會，讓他慢慢適應眼前的黑暗。他的入獄，固然是小人們「精誠合作」的結果，但不能説與他自己沒有干係。那時的他，年輕氣盛，喜歡寫詩，喜歡在詩裏發牢騷，他不懂「牆裏鞦韆牆外道」的道理，説到底，是他的生命沒有成熟。那成熟不是圓滑，而是接納。黑暗與苦難，不是在旦夕之間可以掃除的，在消失之前，他要接納它們，承認它們的存在，甚至學會與它們共處。

到了黃州，蘇軾父子一時無處落腳，只好在一處寺院裏暫居。那座寺院，叫定惠院，坐落在城中，東行五十步就是城牆的東門，雖幾度興廢，但至今仍在。院中有花木修竹，園池風景，一切都宛如蘇軾詩中所言。

蘇軾寓居定惠院之東，抬眼，見雜花滿山，竟有海棠一株。海棠是蘇軾故鄉的名貴花卉，別地向無此花，像黃州這樣的偏遠之地，沒有人知道它的名貴。看見那株海棠，蘇軾突然生出一種奇幻的感覺。他抬首望天，心想一定是天上的鴻鵠把花種

帶到了黃州。那株茂盛而孤獨的繁華，讓他瞬間看到了自己。
他慘然一笑，吟出一首詩：

江城地瘴蕃草木，
唯有名花苦幽獨。
嫣然一笑竹籬間，
桃李漫山總粗俗。
也知造物有深意，
故遣佳人在空谷。
自然富貴出天姿，
不待金盤薦華屋。
朱脣得酒暈生臉，
翠袖捲紗紅映肉。
林深霧暗曉光遲，
日暖風輕春睡足。
雨中有淚亦悽愴，
月下無人更清淑。
先生食飽無一事，
散步逍遙自捫腹。
不問人家與僧舍，

拄杖敲門看修竹。

忽逢絕豔照衰朽，

歎息無言揩病目。

陋邦何處得此花，

無乃好事移西蜀。

寸根千里不易致，

銜子飛來定鴻鵠。

天涯流落俱可念，

為飲一樽歌此曲。

明朝酒醒還獨來，

雪落紛紛那忍觸。

　　初到黃州的日子裏，他沒事就抄寫這首詩，不知不覺之間，竟然抄寫了幾十本。

　　獨自走路，在這無人問候的小城，沒有朋友，沒有人知道他的來歷，只有一株遠遠的海棠花樹，與他相依為伴。

　　但有時也有夢。他會夢見故人，夢見自己的父親、弟弟，夢見司馬光、張方平，甚至夢見王安石。這讓他在夢醒時分感到一種徹骨的孤寂。這裏遠離朝闕，朋友都遠在他鄉，找不出一個可以交談的人，連敵人都沒有。

　　寂寞中的孤獨者，是蘇軾此時唯一確定的身份。

在定惠院寓居，他寫下一首《卜算子》：

> 缺月掛疏桐，
>
> 漏斷人初靜。
>
> 誰見幽人獨往來，
>
> 縹緲孤鴻影。
>
> 驚起卻回頭，
>
> 有恨無人省。
>
> 揀盡寒枝不肯棲，
>
> 寂寞沙洲冷。

他會在萬籟俱寂的時刻，漫步於修竹古木之間，諦聽風聲雨聲蟲鳴聲，也有時去江邊，撿上一堆石子，獨自在江面上打水漂。還有時，他乾脆跑到田間、水畔、山野、集市，追着農民、漁父、樵夫、商販談天說笑，偶爾碰上不善言辭的人，無話可說，他就央告人家給他講個鬼故事，那人或許還要推辭，搖頭說：「沒有鬼故事。」蘇軾則說：「瞎編一個也行！」

話落處，揚起一片笑聲。

為甚麼蘇軾又叫「東坡居士」？

　　花開花落，風月無邊，可以撫慰腦子，卻不能安撫肚子。蘇軾的俸祿，此時已微薄得可憐。身為謫放官員，朝廷只提供一點兒微薄的實物配給，正常的俸祿都停止了。

　　而蘇軾雖然為官已二十多年，但如他自己所說，「俸入所得，隨手輒盡」，是名副其實的「月光族」，並無多少積蓄。按照黃州當時的物價水平，一斗米大約二十錢，一匹絹大約一千二百錢，再加上各種雜七雜八的花銷，一個月下來也得四千多錢，對於蘇軾來說，無疑是一筆巨款。更何況，他的家眷也來到黃州相聚，全家團圓的興奮過後，一個無比殘酷的現實橫在他們面前：這麼多張嘴，拿甚麼餬口？

　　為了把日子過下去，蘇軾決定實行「計劃經濟」：月初，他拿出四千五百錢分作三十份，一份份地懸掛在房樑上。每天早晨，他用叉子挑一份下來，然後藏起叉子，即便一百五十錢不夠用，也不再取。一旦有節餘，便放進一隻竹筒。等到竹筒裏的錢足夠多時，他就邀約朋友，或是和夫人王閏之以及侍妾王朝雲沽酒共飲。

　　即使維持着這種最低標準的生活，蘇軾帶到黃州的錢款，大概也只能支撐一年。一年以後該怎麼辦？妻子憂心忡忡，朋

友也跟着着急，只有蘇軾淡定如常，説：「至時，別作經畫，水到渠成，不須預慮。」意思是，等錢用光了再做籌劃，正所謂水到渠成，無須提前發愁，更不需要提前預支煩惱。

等到第二年，家中的銀子即將用盡的時候，生計的問題真的有了解決的辦法。那時，已經是春暖時節，山谷裏的杜鵑花一簇一簇開得耀眼，蘇軾穿着單薄的春衫，一眼看見了黃州城東那片荒蕪的坡地。

馬夢得最先發現了那片荒蕪的山坡。他是蘇軾在汴京時最好的朋友之一，曾在太學裏做官，只因蘇軾在他書齋的牆壁上題了一首杜甫的詩《秋雨歎》，受到圍攻，一氣之下他辭了官，鐵心追隨蘇軾。蘇軾到黃州，他也千里迢迢趕來，與蘇軾同甘共苦。

馬夢得向官府請領了這塊地，蘇軾從此像魯賓遜一樣，開始荒野求生。

那是一片被荒置的野地，大約百餘步長短，很久以前，這裏曾經做過營地。幾十年後，曾經拜相（參知政事）的南宋詩人范成大來黃州拜謁東坡，後來在《吳船錄》裏，他描述了這塊地的景象：

郡東山壟重複，中有平地，四向皆有小岡環之。

那片被荒棄的土地，蘇軾卻對它一見傾心，就像一個飢餓的人，不會對食物太過挑剔。這本是一塊無名高地，因為它位於城東，讓蘇軾想起他心儀的詩人白居易當年貶謫到忠州做刺史時，也居住在城東，寫了《東坡種花二首》，還寫了一首《步東坡》，所以，蘇軾乾脆把這塊地，稱為「東坡」。

他也從此自稱「東坡居士」。

中國文學史和藝術史裏大名鼎鼎的蘇東坡，此時才算正式出場。

蘇東坡在黃州有哪些成就？

假如我們能夠於公元 1082 年在黃州與蘇東坡相遇，這個男子的面容一定會讓我們吃驚——他不再是二十年前初入汴京的那個單純俊美的少年，也不像三年前離開御史台監獄時那樣面色憔悴蒼白，此時的蘇東坡，瘦硬如雕塑，面色如銅，兩鬢皆白，早已「塵滿面，鬢如霜」。

天高地遠的黃州，使得在王朝政治絞殺中疲於奔命的蘇東坡有了一個喘息和自省的機會。正是在這裏，蘇東坡對自己從政的價值產生了深深的懷疑。

於是，黃州，這座山重水遠的小城的意義竟發生了奇特的

轉變。對於蘇東坡來說，它不再是一個困苦的流放之地；對於黃州來說，蘇東坡也不再只是一個無關緊要的天涯過客。他們相互接納，彼此成全，成為對方歷史和生命中不可缺少的一部分。當一個豐盈的生命與一片博大的土地相遇，必然會演繹出最完美的歷史傳奇。

在黃州，蘇東坡將他生命中的悲苦、艱辛、安慰與幸福都推到了極致。他一生中最重要的創作，諸如我們熟悉的《念奴嬌·赤壁懷古》和前後《赤壁賦》，還有號稱「天下行書第三」的《寒食帖》，都是在這裏完成的。黃州，已然成了他生命的一部分。

> **TIP**
>
> 詞興起於唐而盛於宋。唐代的城市保留着古老的坊市制，也就是居民區與商業區用坊牆隔離，街道不准擺攤開店，要做生意，只能到東、西二市。到了宋代，坊市制瓦解，居民區與商業區混為一體，到處都是繁華而雜亂的商業街，「夜市直至三更盡，才五更又復開張」。商業的繁榮，尤其是茶樓酒肆的興旺，導致了添歡湊趣的詞演唱成為日常行為，並進而升級為都市文娛生活的重要內容。

　　在黃州，由奏摺、策論、攻訐、辯解所編織成的語言密度，被大江大河所稀釋。留給蘇東坡的語言，只有詩詞尺牘。蘇東坡已經習慣了自己的農民生活——雞鳴即起，日落而息。每一天的日子，幾乎都在複製着前一天。他臣服於大自然的鐘錶，而不必再遵從朝廷的作息。這段歲月，是蘇東坡文學和藝術創作的黃金期。

　　蘇東坡當年初入汴京，就曾被京城坊間的輕吟淺唱所吸引，也多次在尺牘中表達過對柳永才華的傾慕，但他當時還無意於詞的創作，所以，在蘇東坡的早期作品中，似乎找不出作詞的記錄。那時，他的志向在於那些關乎國家治亂安危的宏文策論，似乎只有它們，才是文章的「正道」，而小詞小令，都是文人們遣興抒懷的遊戲筆墨，就好像是今天的流行歌曲，他的《上皇帝書》和《再上皇帝書》，才稱得上是他那一時期的得意之作。只不過得意之作給他帶來的，只有無盡的失意。

　　當蘇東坡被外放杭州，尤其是被貶黃州後，被壓抑的自我才被喚醒，那份「超曠之襟懷」才被激發，他這才發現那些遊戲筆墨，才更貼近人的生命欲求。葉嘉瑩先生説，蘇東坡在杭州和密州嘗試寫詞，這種「詩化的詞遂進入了一種更純熟的境界，而終於在他貶官黃州之後，達到了他自己之詞作的質量的高峰」。

　　那時的蘇東坡，已經從憂怨與激憤中走出來，走進一個更

加寬廣、温暖、親切、平坦的人生境界裏。一個人的高貴，不是體現為驚世駭俗，而是體現為寵辱不驚、安然自立。他熱愛生命，不是愛它的絢麗、耀眼，而是愛它的平靜、微渺、坦蕩、綿長。

　　不信你看，一天，行至半途，突然下起了雨，人們驚呼着躲避，只有蘇東坡定在原處，絲毫沒有閃躲。在他看來，這荒郊野外，根本沒有躲雨的地方，倒不如乾脆讓大雨澆個痛快。在這鎮定與沉默中，那些四散奔跑的人顯得那麼滑稽可笑。沒過多久，雨停了，陽光把那些濕透的枝葉照亮，在上面鍍上一層桐油似的光，也一點點地曬乾他身上的袍子，讓他渾身癢癢的。就在這急劇變化的陰晴裏，剛剛被澆成落湯雞的蘇東坡，口中幽幽地吟出一闋《定風波》：

　　　　　莫聽穿林打葉聲，
　　　　　何妨吟嘯且徐行。
　　　　　竹杖芒鞋輕勝馬，
　　　　　誰怕？
　　　　　一蓑煙雨任平生。

　　　　　料峭春風吹酒醒，
　　　　　微冷，

山頭斜照卻相迎。

回首向來蕭瑟處，

歸去，

也無風雨也無晴。

　　蘇東坡詩詞裏的那份幽默、超拔、豪邁，別人是學不來的。假如誰想學，得先去御史台坐牢，再去黃州種地。

　　蘇東坡所寫的每一個字，都與朝廷無關。他是一位純然的歌者，一位「起舞弄清影」的舞者，一招一式都聽從內心的意志。

　　蘇東坡的文學世界摒棄了那些華詞麗句，開始書寫看上去質樸平靜，內部卻蘊含着強烈的生命力度的文字。

　　他的詩詞、散文、書法，皆可雄視千年，為宋王朝代言。

　　這，或許是命運給他的一種別樣的補償。

　　不理解蘇東坡，我們就無法真正地理解宋代。

書法

北宋元豐五年（公元1082年）四月初四，黃州的那場雨，是一場進入中國書法史的雨。四月初四這天是寒食節，在唐宋，一年的節氣中，人們最重視寒食與重陽，不像我們今天更重視端午與中秋。像許多傳統節日一樣，寒食節也是一個與歷史相聯的日子，這個日子，會讓許多文人士子萌生思古之幽情。更何況，元豐五年的寒食節，有雨。

卧聞海棠花，泥污燕支雪

蘇東坡的書法代表作是甚麼？

宋神宗元豐年間，一場機構改革浪潮正在大宋王朝如火如荼地展開。朝廷試圖以此扭轉官府部門機構重疊、職責不明、人浮於事的現象。至元豐五年（公元 1082 年），大宋朝廷已經仿照唐六典所載官制，頒三省、樞密院、六曹條制，任命了尚書、中書、門下三省長官，實行了新官制，史稱「元豐改制」。

這一連串眼花繚亂的變化，都與蘇東坡無關。那時的他，沒有文件可看，沒有奏摺可寫，也不用去受皇帝的窩囊氣，他的眼裏，只有寒來暑往、秋收冬藏。他的每一個日子都是具體的、細微的。

宋神宗元豐五年，蘇東坡來到黃州的第三個寒食節，一場雨下了很久。西風一枕，夢裏衾寒，蘇東坡在宿醉中醒來，凝望着窗外顫抖的雨絲，突然間有了寫字的衝動。他拿起筆，伏在案頭，寫下了今天我們最熟悉、被稱為「天下行書第三」的書法作品——《寒食帖》。

在唐代，顏真卿曾寫下一紙《寒食帖》：

　　　　天氣殊未佳，

　　　　汝定成行否？

　　　　寒食只數日間，

得且住，為佳耳。

這碑帖，蘇東坡想必是見過的，顏字的肆意揮灑，也一定讓蘇東坡心懷感動。不知道蘇東坡的《寒食帖》，與記憶中那幅古老的《寒食帖》是否有關係。

九個多世紀過去了，在台北故宮，我們讀出他的字跡：

自我來黃州，

已過三寒食。

年年欲惜春，

春去不容惜。

今年又苦雨，

兩月秋蕭瑟。

臥聞海棠花，

泥污燕支雪。

暗中偷負去，

夜半真有力。

何殊病少年，

病起頭已白。

春江欲入戶，

雨勢來不已。

小屋如漁舟，
濛濛水雲裏。
空庖煮寒菜，
破灶燒濕葦。
那知是寒食，
但見烏銜紙。
君門深九重，
墳墓在萬里。
也擬哭途窮，
死灰吹不起。

春天江水高漲，就要浸入門內，雨勢沒有停止的跡象，小屋子像一葉漁舟，漂流在蒼茫煙水中。廚房裏空蕩蕩的，只好煮些蔬菜，在破灶裏用濕蘆葦燒着。山中無日月，時間早就被遺忘了，屋中人對於寒食節的到來，更恍然無知，直至看到烏鴉銜着墳間燒剩的紙灰，悄然飛過，才想到今天是寒食節。想回去報效朝廷，無奈朝廷門深九重，可望而不可即；想回故鄉，祖墳卻遠隔萬里；或者，像阮籍那樣，作途窮之哭，但卻心如死灰，不能復燃。

看海棠花凋謝，墜落泥污之中，蘇東坡把一個流放詩人的沮喪與憔悴寫到了極致。

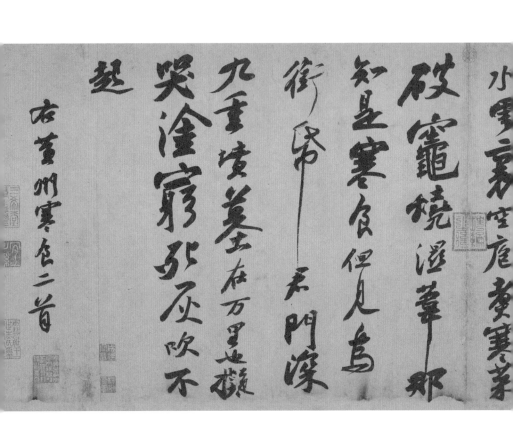

右黃州寒食二首

趙

哭塗窮死灰吹不

九重墳墓在万里也擬

銜紙天門深

知是寒食但見烏

破竈燒濕葦那

小屋如漁舟濛濛

自我来黄州已過三寒
食年、欲惜春、春不
容惜今年又苦雨兩月秋
蕭瑟卧聞海棠花泥
浮遊又雪闇中偷負
去夜半真有力何殊病少
年子病起鬚已白
春江欲入戶雨勢来
不已雨小屋如魚舟濛

這紙《寒食帖》，詩意苦澀，雖也蒼勁沉鬱、幽咽迴旋，但放在蘇東坡三千多首詩詞中，算不上是傑作。然而作為書法作品，那淋漓多姿、意蘊豐厚的書法意象，卻力透紙背，使它成為千古名作。

蘇東坡的書法有哪些特色？

這紙《寒食帖》，乍看上去，字形並不漂亮，很隨意。但隨意正是蘇東坡書法的特點。

通篇看去，《寒食帖》起伏跌宕，錯落多姿，一氣呵成，迅疾而穩健。蘇東坡將詩句中心境情感的變化，寓於點畫線條的變化中，或正鋒，或側鋒，轉換多變，順手斷連，渾然天成。其結字亦奇，或大或小，或疏或密，有輕有重，有寬有窄，參差錯落，恣肆奇崛，變化萬千。

飽經憂患的蘇東坡，在四十六歲上忽然了悟——藝術之美的極境，竟是紛華剝蝕淨盡以後，那毫無偽飾的一個赤裸裸的自己。藝術之難，不是難在技巧，而是難在不粉飾、不賣弄，難在能夠自由而準確地表達一個人的內心處境。在蘇東坡這裏，中國書法與強調法度的唐代書法絕然兩途。

「唐人尚法，宋人尚意」，是後人對唐宋書法風格的總結。

　　然而需要指明的是，唐代以前使用「楷書」一詞，並不是指今天我們所說的楷書一體，而是指所有寫得規矩、整齊的字。唐代強調法度是不錯的，「楷」是一個形容詞，指的就是法度、典範、約束。

　　這樣拘謹的理性，在張旭的狂草中固然得到了釋放，但它的叛逆色彩強烈，反而顯得誇張。不過張旭、顏真卿草書的飛轉流動、虛實變幻，依舊是一種大美，與大唐王朝的汪洋恣肆相匹配。

> **TIP**
>
> 蔣勳先生在《漢字書法之美》中說：「『楷書』的『楷』，本來就有『楷模』『典範』的意思，歐陽詢的《九成宮》更是『楷模』中的『楷模』。家家戶戶，所有幼兒習字，大多都從《九成宮》開始入手，學習結構的規矩，學習橫平豎直的謹嚴。」

　　唐代的這份執守與叛逆，在宋代都化解了。藝術由唐入宋，迎來了一場突變。在繪畫上，濃得化不開的色彩被山水清音稀釋，變得恬淡平遠；文學上，節奏錯落的詞取代了規整嚴格的詩，讓文學有了更強的音樂性；書法上，平淡隨意、素淨空靈的手札書簡，取代了楷書紀念碑般的端正莊嚴。

　　端詳《寒食帖》，我發現它並不像唐代書法。在唐代，無論楷書草書，都有一種先聲奪人的力量，它卻有些近乎平淡，但它經得起反覆看。《寒食帖》裏，蘇東坡的個性，揮灑得那麼酣暢淋漓，無拘無束。

　　蘇東坡説：「吾書雖不甚佳，然自出新意，不踐古人，是一快也。」

　　即使寫錯字，他也並不在意。「何殊病少年，病起頭已白。」這裏他寫錯了一個字，就點上四點，告訴大家，寫錯字了。

　　真正偉大的藝術家，都是制定規則的人，不是遵從規則的人。當然這規則，不是憑空產生，而是有着深刻的精神根基。

　　在《寒食帖》裏，蘇東坡宣示着自己的規則。比如「但見烏銜紙」的那個「紙」字，「氏」下的「巾」字，豎筆拉得很長，彷彿音樂中突然拉長的音符，或者一聲幽長的歎息，這顯然受到顏體字橫輕豎重的影響，但蘇東坡表現得那麼隨性誇張，毫無顧忌。

　　但在那歎息背後，我們看到的卻是風雨裏的平靜面孔。

這字，不是為紀念碑而寫的，不見偉大的野心，卻正因這份興之所至、文心剔透而偉大。

在蘇東坡看來，自己只是個普通人，一個平凡無奇的小人物，在季節的無常裏，體驗着命運的無常。

只有參透這份無常，生命才能更持久、更堅韌。

蘇東坡還有哪些著名的書法作品？

回望中國書法史，蘇東坡是一個重要的界碑。因為蘇東坡的書法，在宋代具有開拓性的意義。如一些學者所說：「從宋代開始，蘇東坡首先最完美地將書法提升到了書寫生命情緒和人生理念的層次，使書法不僅在實用和欣賞中具有悅目的價值，而且具有了與人生感悟同弦共振的意義，使書法本身在文字內容之外，不僅可以怡悅性情，而且成為了生命和思想外化之跡，實現了書法功能的又一次超越。這種超越，雖有書法規則確立的基礎，但絕不是簡單的變革。它需要時代的醞釀，也需要個性、稟賦、學力的滋養，更需要蘇東坡其人品性的依託和開發。」

從北京故宮博物院所存的蘇東坡書法手跡中，可以清晰地看到他醞釀、演進的軌跡。現存蘇東坡最早的行草書手跡

軾啟。新歲未獲展慶，祝頌無窮，稍晴
起居何如。數日起造必有涯，何日是了。
入城昨日已得，以擇書過上元乃行計。
月末間到此。此時來，此計上元起造尚未
畢工，幹當否不出。無緣一會晤，夜遊也沙枋
畫籍旦夕附陳隆舡去，今先附扶方
膚便，此中有一鑄銅匠正欲佳。
兩項建州茶臼子并㨾，試令依檯遣者東
適有閩中人便，或令者過，因往彼買一副也。
乞軺付之人專發謹便，納上，併寄去。
保重冗中，也不謹，軾再拜。

季常先生文閣下　正月十三日

子由亦曾寄方子明者，他者不甚怪也。
柳中舍列寄三乎，未及拜謝，蒙
伸意。柳丈昨日書人還次，
知壁畫壞了，不須快悵，但頹者間，
筆勢屋下不，先生好畫也。

載在人率溥

書不意

伯誠靈至於此表惕不已

宏才令遠百末一報而心於是耶

季常萬於兄弟而於

伯誠尤相知照想閒之無復生意苦不

上念

門戶付囑之重下思　三子皆本成立任

情兩至不自知返則仍友之愛蓋未可量

伏惟深照死生聚散之常理悟愛戀

之無益釋然自勉以就

遠業拭蒙

交照之厚故味不諱之言必深察也本欲

便徃面陳又恐悲戀中反更撓亂進退

不皇惟万〻

寬懷要忽都言也不〻　軾再拜

知苑日擧挂不能哭其

靈怨貢手方〻酒一擢告云一

東坡真跡余所見凡重瓜十卷皆宋

人僞鉤廓填摸書李濃院經填墨

《新歲展慶、人來得書帖》合卷

北宋·蘇軾

北京故宮博物院　藏

是《寶月帖》，寫下它時，蘇東坡正值仕途的上升期，他的字跡中，透露出他政治上的豪情與瀟灑。另有《治平帖》《臨政精敏帖》，這些墨跡筆法精微，字體蕭散，透着淡淡的超然意味，那時，正是他與王安石的新法主張相衝突的時候。

在黃州，蘇東坡迎來了命運的低潮期。正是這個低潮，讓他在藝術上峰迴路轉，使他的藝術在經歷了生命的曲折與困苦之後，逐漸走向成熟。

代表蘇東坡一生書法藝術最高成就的作品，基本上都是在黃州完成的。《新歲展慶帖》《人來得書帖》《職事帖》《一夜帖》《梅花詩帖》《京酒帖》《啜茶帖》《前赤壁賦卷》等。但《寒食帖》是他書風突變的頂點。

蘇東坡的《前赤壁賦》寫於《寒食帖》之後，也不像《寒食帖》那樣激情悠揚。那時，蘇東坡的內心，愈發平實、曠達。蘇東坡當年追慕的魏晉名士那種清逸品格，與他的精神已經不太吻合。他既不做理想的人質，把自己逼得無路可走；也不像世上不得志的文人那樣看破紅塵，以世外桃源來安慰自己。他愛儒，愛道，也愛佛。最終，他把它們融匯成一種全新的人生觀——既不遠離紅塵，也不拚命往官場裏鑽營。他是以出世的精神入世，溫情地注視着人世間，把自視甚高的理想主義，置換為溫暖的人間情懷。

此時我們再看《後赤壁賦》，會發現他的字已經變得莊重

平實，字形也由稍長變得稍扁。他的性格，他書法中常常為後人詬病的「偃筆」，此時也已經出現。蘇東坡和他的字，都已經脫胎換骨了。

石頖橙　坍頭舟霪墳蓥必頻

睊管程六小心否惟頻与提舉是要

以久求蜀中一郡歸去相見未間惟

惟望々不宣

軾　手啓上

治平史院主徐大師二大士　侍者

八月十一日

軾啓 久別思念不忘遠想

觀中佳勝

法眷多無恙

佛閣必已成就

樊惰不易數年念經度得幾人德為

應師仍在思濛住院如何瞻望

示及

繪 畫

自從蘇東坡到黃州，在那裏自力更生，那座遙遠而寂寥的江邊小城，也一點點熱鬧、活絡起來。去看望蘇東坡的，有棄官尋母的朱壽昌，有杭州的辯才禪師道潛和尚，還有眉山同鄉陳季常……

於是，在隱祕的黃州，藝術史上的許多斷點在這裏銜接起來，米芾後來專程到黃州探訪蘇東坡，也成為美術史上的重要事件。正如林語堂先生所說：「他（蘇東坡）和年輕藝術家米芾共同創造了以後在中國最富有特性與代表風格的中國畫……在宋代，印象派的文人畫終於奠定了基礎。」

寧可食無肉，不可居無竹

甚麼是「文人畫」？

文人畫，或稱士人畫，泛指中國封建社會中文人、士大夫所作之畫，是一個與畫院的專業畫家所作的「院體畫」相對的概念。

蘇東坡看不起那些院體畫家，認為他們少文采，沒學問，因而只畫形，而不畫心；他更不希望繪畫成為帝王意志的傳聲筒。

在蘇東坡看來，技法固然重要，但技法是為畫家的獨立精神服務的，只強調技法，只強調「形似」，再逼真的描繪，這樣的創作者只算得上是畫匠，而不是畫家。藝術需要表達的，並不僅僅是物質的自然形態，而是人的內心世界，是藝術家的精神內涵。否則，所有的物都是死物，與人的情感沒有關係。

> **TIP**
>
> 蘇東坡非常強調創作者精神層次的重要性，在他看來，「君子可以寓意於物，而不可以留意於物」，認為「言有盡而意無窮」才是藝術的至高境界。

夫言如微榮易發勿謂玄漠靈監無象勿謂幽昧神聽無響無矜爾榮天道惡盈無恃爾貴隆隆者墜鑒于小星戒彼攸遂比心螽斯則繁爾類

出其言善千里應之苟違斯義同衾以疑

《女史箴圖》卷（局部）

東晉・顧愷之（唐摹本）

大英博物館 藏

女史司箴敢告庶姬

故曰翼翼：福昨以興靜恭自思榮顯所期

《女史箴圖》卷（局部）

東晉·顧愷之（唐摹本）

大英博物館 藏

《女史箴圖》卷（局部）

東晉·顧愷之（宋摹本）

北京故宮博物院 藏

　　文人畫在兩漢魏晉就開始出現——台北故宮博物院前院長石守謙先生認為，東晉顧愷之的《女史箴圖》，幾乎是文人畫的最早實例，儘管那時還沒有文人畫的概念。在倫敦大英博物館和北京故宮博物院，分別收藏着這幅畫的唐代和宋代摹本——但有了唐代王維，文學的氣息才真正融入到繪畫中，紙上萬物，才活起來，與畫家心氣相通。

　　在唐代，吳道子和王維的繪畫世界，把東方古典美學推向極致。而這兩位都是蘇東坡至愛的畫家。

　　宋代以後，歐陽修、王安石、蘇東坡、米芾這一班文人，將古文運動的成果直接帶入繪畫，妖嬈絢麗的唐代藝術到了他們手上，立即褪去了華麗的光環，變得素樸、簡潔、典雅、莊重。歐陽修、王安石都確立了文人畫論的主調，但在蘇東坡手上，文人畫的理論才臻於完善。在藝術風格上，「蕭散簡遠」「簡古淡泊」，被蘇東坡視為一生追求的美學理想。換作今天的詞，叫「極簡主義」。

　　這是一場觀念革命，影響了此後中國藝術一千年。

　　到了元代，有趙孟頫，也有黃王倪吳（黃公望、王蒙、倪瓚、吳鎮）；到了明代，有董其昌，也有沈唐文仇（沈周、唐寅、文徵明、仇英）；到了清代，在石濤、八大山人手裏，「文人畫」的理想仍在山高水遠中延展。直到20世紀，藝術領域再掀革命風暴，在徐悲鴻這些早期革命派那裏，「文人畫」被大加

鞭撻，被當作一種脫離現實、只知師法古人技法的繪畫風格。

　　儘管「文人畫」始終沒有一個明確可行的定義，蘇東坡的論述也是零散、隨意的，但它作為一種觀念，已經深深地沁入千年的畫卷中，提醒畫家不斷追問藝術的最終本質。

　　即使從蘇東坡算起，這樣的藝術觀念，也比西方領先了八個世紀。

蘇東坡有哪些繪畫作品？

　　蘇東坡的繪畫作品，傳到今天的，只有兩幅，其中一幅叫《枯木怪石圖》。

　　可惜的是，中國古代大家的繪畫真跡大部分消隱在時光的黑暗裏，「絕版」了。比如和蘇東坡同時代的米芾的繪畫作品，就像唐代王維的畫一樣，我們幾乎無緣見到了。米芾沒有一幅可靠的繪畫作品留存下來，北京故宮博物院收藏的《珊瑚帖》，上面草草地畫着一副珊瑚筆架，幾乎是米芾最接近繪畫的遺物了。

　　而這幅《枯木怪石圖》（又名《木石圖》），在抗戰時期流入日本，為私人收藏。北京故宮博物院書畫鑒定大師徐邦達先生在《古書畫過眼要錄》中，記有一幅蘇東坡《怪木竹石圖》，文字描述如下：「坡上一大圓石偃臥。右方斜出枯木一株，上

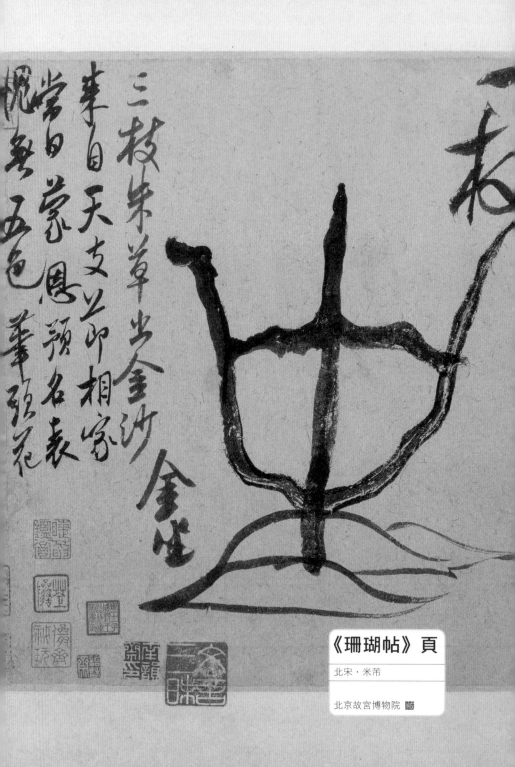

《珊瑚帖》頁

北宋・米芾

北京故宮博物院

收張僧繇天王上
薛稷題閣工尚書
老季先生取浮又
收卑滄句補圖云
公朝畫珊瑚

端向左扭轉，枝作鹿角形。右邊有小竹二叢，樹下有衰草數十莖。無款印。」並詳細記錄了鑒藏印記，很可能就是《枯木怪石圖》，只是叫法不同而已。

這幅畫據説是蘇東坡任徐州知州時畫的，透過藏印和題跋，徐邦達先生梳理了這幅圖卷的流傳脈絡——它最初是蘇東坡贈給一位姓馮的道士的；這位姓馮的道士給劉良佐看過，而劉良佐的真實身份，同樣也湮沒在歷史中，只有他在接紙上寫下的那首詩，清晰地留到今天；再後來，米芾看到了這幅畫，用尖筆在後面又寫了一首詩。在紙的接縫處，還有南宋王厚之的印。它的流傳史，線索分明。蘇東坡的繪畫原作，連徐邦達先生也只見過這一件。徐邦達先生還透露，這幅畫現收藏於日本阿部房次郎爽籟館。

從這幅畫中，可以清晰看出蘇東坡繪畫的特點。徐邦達先生評價它：「此圖樹石以枯筆為勾皴，不拘泥於形似。」

蘇東坡説，山石竹木，就像水波煙雲一樣，漫漶無形，但它們都有靈魂（「雖無常形，而有常理」），畫出它們的靈魂，比畫出它們的外形更加重要。

繪畫的最高境界，是得意而忘形。當然，忘形不是無形，而是不拘泥於表面之形。

正如畫家蔣勳所説：「宋人的繪畫與視覺美術，為了開拓更高的意境上的玄想，讓色彩褪淡，讓形式解散。繪畫上，只

《枯木怪石圖》卷

北宋・蘇軾（傳）

剩下筆的虯結與墨的斑斕，只剩下墨的堆疊、遊移、拖延，在空白的紙上牽連移動，彷彿洪荒中的生命，只是一聲，卻有大悲愴與大喜悅。」

蘇東坡最喜歡畫甚麼？

蘇東坡除了喜歡畫石，也愛畫竹。

蘇東坡說：「寧可食無肉，不可居無竹。」

竹子為中國人的文化記憶增添了太多的光澤。

墨竹，是一種唐末五代就開始流行的畫法，到北宋，與怪石一樣，成為文人紓解被壓抑的本性的最佳載體。同時，竹葉的畫法，因與書法的筆法近似，因此在梅蘭竹菊四君子中，也最容易被文人掌握。

墨竹畫，成為北宋文人畫的一個重要分支。

蘇東坡說：「余亦善畫古木叢竹。」「竹寒而秀，木瘠而壽，石醜而文，是為三益之友。」

蘇東坡最喜歡的紙是澄心堂紙，最喜歡的筆是宣城的諸葛筆，最喜歡的墨是潘谷、李廷邦的墨，最喜歡畫的植物是竹。這四樣東西相遇，就成了據傳今天世上留存的另外一幅蘇東坡繪畫真跡——《瀟湘竹石圖》。

　　當中國美術館的工作人員在庫房裏輕輕展開《瀟湘竹石圖》時，我幾乎可以聽見自己的心跳。因為它是當時國內僅存的一卷傳為蘇東坡的繪畫作品。那一刻，我終於跨過了時間的屏障，站在了這幅畫的面前，就像站在真實的蘇東坡面前，不再被時間和距離所阻隔，所以直到今天，我仍然記得當時的激動。這幅《瀟湘竹石圖》儘管可能只是一件後世摹本，仍讓我相信蘇東坡並沒有走遠，距離他那個時代快一千年了，他仍在可視的範圍內。

TIP

在中國士大夫心裏，竹有七德，曰正直，曰奮進，曰虛懷，曰質樸，曰卓爾，曰善群，曰擔當。中國古代的編年體史書，因為書寫在竹簡上，被稱為「竹書紀年」；東晉那七位風流名士，被稱作「竹林七賢」；唐代那六位酣歌縱酒、共隱於徂徠山的隱士，被稱為「竹溪六逸」；唐代教坊曲，有「竹枝詞」……

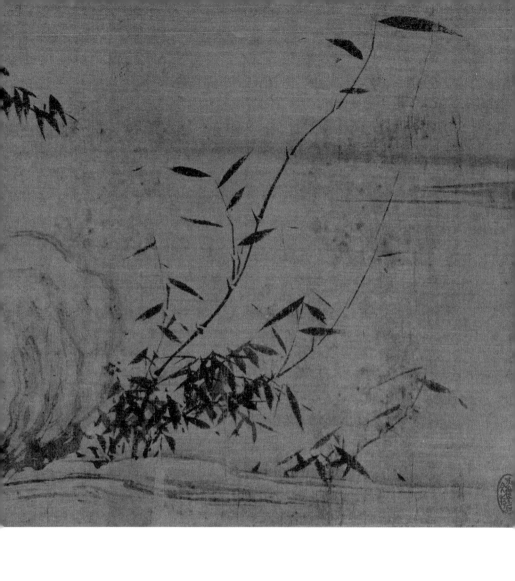

《瀟湘竹石圖》卷

北宋・蘇軾（傳）

中國美術館 藏

　　《瀟湘竹石圖》橫 105.6 厘米，縱 28 厘米，絹本，以長卷形式，描繪了瀟江與湘江在湖南零陵匯合處的蒼茫景色。近景中的巨石瘦竹，與遠景中的水煙山影，形成豐富的層次，讓人在作者營造的語境中，體會他內心的淡遠與堅守。

　　在這幅畫的卷末，蘇東坡親筆寫下了「軾為莘老作」五個字，由此可以推想，此畫是蘇東坡在黃州時畫的，因為「莘老」是蘇東坡的同年進士孫覺的字。

　　仔細看時，我們會發現蘇東坡筆下的竹葉，不是靜止的，而是在風中輕微伸展和顫動的。蘇東坡對風是敏感的，他知道零雨冷霧、落葉飛花，一切都是風的呈現。他試圖從風的壓力中，尋找竹的活躍與妖嬈。

　　蘇東坡畫墨竹，文同是他的老師。文同是蘇東坡的表兄，字與可，曾任湖州知州，因此世稱文湖州。文同是蘇東坡的兄長、老師，也是最好的朋友。李公麟《孝經圖》卷上有一個場面，描繪兩個文人在花園裏相遇，彼此間行禮如儀，很符合蘇東坡與文同彼此間的恭敬與揖讓，尤其背景中的山石與竹子，更是對二人品格的暗喻。

　　文同開創了藝術上著名的「文湖州畫派」，他畫竹，以淡墨為葉背，以深墨為葉面，這一技法，不僅為蘇東坡、米芾所延續，到了元代和明代，依然為畫家所遵奉。蘇東坡說：「吾為墨竹，盡得與可之法。」

《幽篁秀石圖》軸

元·顧安

北京故宮博物院 藏

今天來看，文同的竹畫，與蘇東坡有所區別。一個最直觀的區別，是文同的竹畫中，一般沒有石頭。而石頭，卻始終是蘇東坡最不捨的視覺符號。

蘇東坡繪畫中的「木石前盟」（將石頭與竹子相結合的圖像構成），也在以後的時代裏延續，成為中國繪畫的經典格式之一，在後世繪畫中被一次次重述。

這些繪畫有：元李衎《四清圖》卷、《竹石圖》軸，元高克恭《墨竹坡石圖》軸，元趙孟頫《秀石疏林圖》卷，元柯九思《清閟閣墨竹圖》，元倪瓚《梧竹秀石圖》軸，元顧安《風雨竹石圖》卷、《幽篁秀石圖》軸、《墨筆竹石圖》軸，明夏昶《半窗春雨圖》卷、《畫竹圖》卷、《瀟湘春雨圖》卷、《淇園春雨圖》軸、《墨竹圖》軸，明姚綬《竹石圖》軸，明文徵明《竹石圖》扇頁、《蘭竹圖》卷……

《淇園春雨圖》軸

明·夏昶

北京故宮博物院 藏

文學

元豐三年（公元 1080年），初到黃州的蘇東坡，在兒子蘇邁的陪伴下第一次奔向赤壁。對於此行在中國文學史乃至藝術史上的意義，或許連他自己也未必了然。

千年之後，每一個讀過中學的中國人幾乎都吟誦過蘇東坡的《念奴嬌·赤壁懷古》以及前後《赤壁賦》，除了在課堂上對這些作品的了解之外，或許我們還可以通過新的視角來進一步認識它們。

大江東去，浪淘盡，千古風流人物

在中國文學中，「石頭」意象代表甚麼？

石頭是一個物象，一個無生命的自然物，但在中國人的文化觀念裏，許多無生命的物，都與生命、歲月、情感有着神祕的聯繫，比如風花雪月、梅蘭竹菊。

而在所有的物中，石頭是一種極為特殊的物──一種時間的貯存器──不僅可以瞬時復活全部的歷史記憶，而且可以穿越未來之境，擦去時間全部的線性痕跡。此外，石頭還具有某種神奇的敍述功能。無論是開創夏王朝的大禹，還是橫掃六合、一統江山的秦始皇，都要把自己的豐功偉績以鐫刻的方式貫注到石頭裏。於是，那些古老的石刻，才成為中國藝術的源頭之一。

《蘇軾全集校注》中有一首《詠怪石》，講述他年輕時，疏竹軒前有一方怪石，不僅形狀怪異，而且無比靈異。有一次，它來到蘇東坡的夢中。開始的時候，蘇東坡還以為那是一個厲鬼，感到無比恐懼，後來才從它落下的聲音中，分辨出它的話語。這首長詩，絕大部分內容都是由石頭來講述的。

在蘇東坡畫《枯木怪石圖》之前，已有許多畫家痴迷於對石頭的表達。比如五代宋初的李成──一位帶動了宋代繪畫風氣、被稱作「古今第一」的偉大畫家，就曾畫過一幅《讀碑窠石圖》，絹本，墨色，是一幅雙拼絹繪製的大幅山水畫軸。幾

株木葉盡脫的寒樹，像一團彎彎曲曲的血管掙扎伸展。透過樹枝的縫隙，可以看見一座石碑，靜靜地矗立在荒寒的原野上，那才是這幅畫真正的視覺中心。

石碑就是石頭，而且是有文化的石頭。

相比之下，蘇東坡畫上的石頭，不像《讀碑窠石圖》中的石碑那樣有顯赫的身世，它只是荒野上一塊普普通通的石頭。然而，據米芾的回憶，蘇東坡畫上的怪石、枯樹，都是他從未見過的——怪石上畫滿圓形弧線，彷彿在快速旋轉，賦予畫面一種極強的運動感。怪石右側穿出的那一株枯樹，虬曲的樹身，到上方竟然轉了一個圓圈，再伸向天空。這樣的枯樹造型，在中國畫中很少見到。

蘇東坡用質樸無華、沉默無語的石頭，表達他生命的自在與充盈，用枯樹的死亡來表現生機。這是宋畫的一種獨特的表達方式，一種反向的、辯證的表達方式。就像他從「墨」中看到了「色」，從「無」中發現了「有」。枯樹與怪石的組合，據說就是在黃州形成的。

將近一千年後，我的目光繞過了蘇東坡那麼多的書法真跡，直接落在那塊堅硬的石頭上，彷彿已經在虛空裏，看見了米芾曾經看見的那幅畫。那是因為蘇東坡筆下的「木石前盟」，不僅寄寓了他個人的意志，也成了後世遵循的格式。在他身後，一代代的畫家，目光始終沒有從荒野上離開過。僅在北京故宮

《讀碑窠石圖》軸（局部）

五代・李成

日本大阪市立美術館 藏

《枯木竹石圖》軸

元·李士行

北京故宮博物院 藏

博物院，我們就可以找出無數張由石頭與枯樹組成的圖像，宋元明清，八個世紀裏不曾斷流，其中有：北宋郭熙《窠石平遠圖》、王詵《漁村小雪圖》、佚名《岩檜圖》、元代趙孟頫《秀石疏林圖》、李士行《枯木竹石圖》、明代項聖謨《大樹風號圖》……

對蘇東坡而言，「赤壁」意味着甚麼？

對蘇東坡來說，赤壁，就是一塊放大的怪石，或者說，一座超級古碑。

對於赤壁，我們還可以通過繪畫的視角來認識它。這或許為我們認識蘇東坡筆下的赤壁提供了一個新的維度。

蘇東坡對赤壁的青睞，與他對於石頭的偏愛是一脈相承的，何況那根本就不是一塊一般的石頭，而是一塊野性的、同時收集了浩大的歷史訊息的石頭。我們無法確認，蘇東坡除了文學作品，是否通過繪畫的方式對赤壁做出過表達。無論他畫過（可能沒有流傳到今天）或者沒畫過赤壁，他對石頭這一視覺形象的敏感，使他的目光必然在赤壁上聚焦和定格。這樣一塊巨石，就放在眼皮底下，像蘇東坡這樣的石頭愛好者，絕對不會輕易放過它。

　　世界上存在着兩個赤壁。一個被稱為「武赤壁」，就是現在的湖北省赤壁市，那裏是赤壁之戰的真正戰場。在蘇軾之前的八百年前，也就是東漢建安十三年（公元 208 年）十月，孫劉聯軍在這裏擊敗了大舉南下的曹軍，奠定了三國鼎立的局面；兩百年前，一個名叫杜牧的唐代詩人從這裏路過，留下絕句一首：

> 折戟沉沙鐵未銷，
> 自將磨洗認前朝。
> 東風不與周郎便，
> 銅雀春深鎖二喬。

　　但蘇東坡抵達的，卻是黃州赤壁，也叫「赤鼻磯」。所以後人稱之「文赤壁」——一個注定將留在文字和後世影像裏的赤壁。它的歷史，並不是「雄姿英發，羽扇綸巾」的周瑜書寫

> **TIP**
> 根據沈復《浮生六記》的記述：「黃州赤壁在府城漢川門外，屹立江濱，截然如壁。石皆絳色故名焉。《水經》謂之赤鼻山。東坡遊此作二賦，指為吳魏交兵處，則非也。」

的，而是由蘇東坡書寫的。

　　《讀碑窠石圖》裏那個看碑的過客，可以是曹操，可以是孟浩然，也可以是蘇東坡。

　　他出川、進京、入獄、被貶，經歷這所有的坎坷，好像就是為了來到赤壁，書寫他的千古絕唱。沒有赤壁，就沒有我們今天熟悉的蘇東坡；反過來，沒有蘇東坡，那赤壁，也永遠只是一塊冰冷的石頭。

　　直到元豐五年，蘇東坡寫下流傳千古的《念奴嬌·赤壁懷古》和前後《赤壁賦》，那塊石頭才真正與人的血肉筋脈相連。

大江東去，

浪淘盡，

千古風流人物。

故壘西邊，

人道是，

三國周郎赤壁。

亂石穿空，

驚濤拍岸，

捲起千堆雪。

江山如畫，

一時多少豪傑。

遙想公瑾當年，

小喬初嫁了，

雄姿英發。

羽扇綸巾，

談笑間，

檣櫓灰飛煙滅。

故國神遊，

多情應笑我，

早生華髮。

人生如夢，

一樽還酹江月。

在赤壁，在這樣的時間縱深裏，那些困擾蘇東坡的現實問題，都顯得無關緊要了。

在去除語言之後，世界顯得格外空曠和透明。

時間帶走了很多事物，誰也阻攔不住。

透過赤壁，蘇東坡看到的不只是歷史，更是天高地廣，是有限中的無限。

在《赤壁賦》裏，蘇東坡慨然寫道：

　　天地之間，物各有主，苟非吾之所有，雖一毫而莫取。惟江上之清風，與山間之明月，耳得之而為聲，目遇之而成色，取之無禁，用之不竭……

　　蘇東坡將此稱為「無盡藏」。他想要甚麼，都可以隨時來取。這比朝廷給予他的多得多。

　　終於，蘇東坡學會了區分生命的有意義和無意義。這個世界，沒有完美無缺的彼岸，只有良莠交織的現實。他知道自己人微言輕，但他無論當多麼小的官，都不會喪失內心的溫暖。

　　他滅蝗、抗洪、修蘇堤、救孤兒，權力所及的事，他從不錯過；他甚至寫了《豬肉頌》，為不知豬肉可食的黃州人發明了一道美食，使他的城郭人民，不再「只見過豬跑，沒吃過豬肉」。那道美食，就是今天仍令人口水橫流的東坡肉。它的烹食要領是：五花肉的肉質瘦而不柴、肥而不膩，以肉層不脫落的部位為佳；用酒代替水燒肉，不但去除腥味，而且能使肉質酥軟無比……

　　蘇東坡不再像范仲淹那樣先憂後樂，而是憂中有樂，且憂且樂，憂樂並舉，樂以忘憂。他已無須笑傲江湖，因為他已笑傲時間，笑傲歷史。

　　當年赤壁大戰的三個主角，在歷史中各得其所——周公瑾愛情事業雙豐收，曹孟德（後代）得了天下，諸葛亮豐滿了人

格。所以，相比之下，他更喜愛諸葛亮。

此時的蘇東坡，早已「塵滿面，鬢如霜」。他貌似草芥，卻不是草芥，而是一塊冥頑不化的石頭，被遺棄在荒野上，聽蟬噪蛙鳴、風聲鳥聲，看日月流轉、人事紛紛。歷史如江河，匯流在赤壁前。他感到一種前所未有的暢快與遼闊。

蘇東坡的《赤壁賦》產生了哪些深遠影響？

無論蘇東坡是否畫過赤壁，赤壁這塊非同尋常的石頭，被蘇東坡「開光」以後，竟然成為後代書法家和畫家反覆表達的經典形象。

在今天的北京故宮博物院，我們仍然可以目睹這樣一些著名的書法：南宋趙構草書《後赤壁賦》，元代趙孟頫的行書長卷《前後赤壁賦》，文徵明六十一歲書《前赤壁賦卷》、七十八歲書《前赤壁賦卷》、八十九歲書《前後赤壁賦》，明代祝允明草書《前後赤壁賦》……

繪畫方面，至少從南宋馬和之開始，畫家們就開始痴迷於這一題材的繪畫創作。用巫鴻先生的話說：「蘇東坡的《前赤壁賦》和《後赤壁賦》激發了視覺藝術表現中的『赤壁圖』傳統。」

所謂「赤壁圖」，一般包括兩類構圖：其中一類是多聯的

卷軸畫，像北京故宮博物院收藏的《女史箴圖》《洛神賦圖》那樣，把蘇東坡的文本轉譯成一個連續的敘事；另一種是單幅繪畫，聚集於蘇東坡泛舟赤壁下的時刻。

好玩兒的是，蘇東坡看不上眼的院體畫家，也就是宮廷專業畫家也來湊熱鬧，加入這場宏大的視覺敘事中，例如馬和之，就是南宋宮廷畫院中官品最高的畫師。院體畫非但沒有走向沒落，相反受到刺激而益發蓬勃。新的精神滲入到院體畫中，像日光刺透寒林，讓它變得強韌和尖銳。

蘇東坡是看碑者，是解讀赤壁的那個人，有朝一日，他自己也成了古碑，成了赤壁，被後人追懷和講述。馬和之之後，南宋李嵩、喬仲常，金代武元直，明代仇英等，都畫過「赤壁圖」。其中仇英至少有兩幅《赤壁圖》存世，一藏遼寧省博物館，一藏上海博物館，一律絹本短卷，畫面上斷岸千尺，白露橫江，東坡與客泛舟中流；還有一卷是紙本，略長於前兩卷，增加了葦汀淺嶼、石橋曲澗、秋林霜濃、雲房窅深的夜間景色。

「赤壁圖」的傳統，一直滲透到 20 世紀。1941 年，張大千初到敦煌，就畫了《前赤壁賦》和《後赤壁賦》兩件畫軸。《前赤壁賦》軸採用倪瓚的一江兩岸式構圖，但視角卻是從赤壁俯瞰的。這個視角，在以往的赤壁賦圖中極為少見（一般以赤壁為背景），赤壁之下，江天幽遠，一葉扁舟在水面

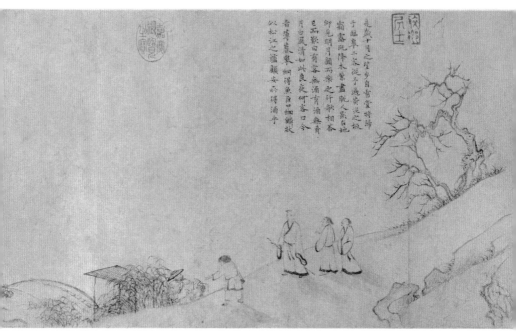

是歲十月之望，步自雪堂，將歸
于臨皋。二客從予過黃泥之坂。
霜露既降，木葉盡脫，人影在地，
仰見明月，顧而樂之，行歌相答。
已而歎曰：有客無酒，有酒無肴，
月白風清，如此良夜何。客曰：今
者薄暮，舉網得魚，巨口細鱗，狀
似松江之鱸。顧安所得酒乎。

歸而謀諸婦。婦曰：我有斗
酒，藏之久矣，以待子不時
之須。於是攜酒與魚

衣裳棄長鳴掠予舟而西也
鶴橫江東來翅如車輪玄裳縞
依為時夜將半四顧寂寥適有孤
夕而登舟放乎中流聽其所止而

予赤鳥悟開戶

須史客去予亦就睡臨夢二道
士羽衣翩蹮過臨臬之下揖
予而言曰赤壁之遊樂乎予問
其姓名俛而不答嗚呼噫嘻
我知之矣疇昔之夜飛鳴而
過我者非子也耶士顧笑

夕而登舟放乎中流聽其所止而
休焉時夜特半四顧寂寥適有孤
鶴橫江東來翅如車輪玄裳縞
衣戛然長鳴掠予舟而西也

《後赤壁賦圖》卷

北宋・喬仲常

美國納爾遜－阿特金斯藝術博物館

《後赤壁賦圖》卷（局部）

南宋・馬和之

北京故宮博物院 藏

上漂浮，蘇東坡與兩位友人，安閒地坐在舟中，飲酒歡敍，陶醉於清風明月、江天美景中。《後赤壁賦》軸構圖更加奇特，赤壁從畫軸的左側突然穿入，呈頭重腳輕的倒三角結構，危崖頂上還站着一個人，那人就是蘇東坡。他居高臨下，悵望遠方，而舟中的夥伴，全都抬頭仰望着他，似乎暗示着，他看風景的同時，他自己正成為別人眼中的風景。

　　於是，在赤壁原有的空間之外，畫家們又開闢了一重重全新的空間。圖像的空間，從此覆蓋了物質化的空間。從後來的繪畫史中，我們「目睹」的，既不是三國鏖兵的「武赤壁」，也不是蘇東坡的「文赤壁」，而是畫家們創造出來的「畫赤壁」。

　　由此，我們發現了記憶在這塊頑石上的反覆塗抹與疊加。赤壁於是成了一塊容積無限的石頭，一個真正意義上的「無盡藏」。為了表明這一點，畫家們不約而同地誇大了赤壁的體積，它挺拔、高峻、陡峭。在無限的江水和時間中，蘇東坡的身影，還有那一葉扁舟，都顯得那麼微小，像他筆下的「千古風流人物」一樣，漸行漸遠。

交 友

蘇東坡的一生，在宦海中沉浮，但他的生命裏從來不缺朋友。友人、兄弟間的那份情誼，給他帶來許多溫暖，也為他增添許多牽掛與思念，更激發了他無限的創作靈感。

但願人長久，千里共嬋娟

蘇東坡的生命中有哪些重要的朋友？

在蘇東坡的生命中，第一位值得重點提起的朋友名叫馬夢得。

馬夢得，與蘇東坡生於同年同月，是他一生中最忠實的夥伴。二十多年前，他們在汴京相識，那時馬夢得在太學做官。有一次，蘇東坡前去探訪，苦等不來，百無聊賴之際，在牆壁上信手寫下杜甫那首《秋雨歎》，然後擲筆而去。他無論如何不會想到，馬夢得歸來，看到這首詩，被「堂上書生空白頭，臨風三嗅馨香泣」兩句觸動，竟然憤而辭官，自此終身不仕。

蘇東坡後來寫道：「馬夢得與僕同歲月生，少僕八日。是歲生者，無富貴人，而僕與夢得為窮之冠者。即吾二人而觀之，當推夢得為首。」意思是說，這一年出生的人，沒有富貴之人，若論窮，他蘇東坡和馬夢得定會拔得頭籌，假如他們這兩個窮鬼再較量一下，則是馬夢得更勝一籌，蘇東坡甘拜下風。

蘇東坡沒想到的是，他剛到黃州，馬夢得就尾隨而至，陪他到黃州受苦。兩個倒霉蛋從此抱團取暖，在黃州開始了躬耕生活。

那段日子，他們彷彿在渡着一條命運的黑河。他們的身體可以受苦役，精神可以受屈辱，但是，那藏在內裏的對生命真摯的愛，仍使他們的臉上有了笑容。

為了紀念那段時光，蘇東坡寫下《東坡八首》，詩中這樣

描述自己的這位朋友：

> 馬生本窮士，
>
> 從我二十年。
>
> 日夜望我貴，
>
> 求分買山錢。
>
> 我今反累生，
>
> 借耕輟茲田。
>
> 刮毛龜背上，
>
> 何時得成氈？
>
> 可憐馬生痴，
>
> 至今誇我賢。
>
> 眾笑終不悔，
>
> 施一當獲千。

與黃州隔江而望的樊口，有一個酒坊主，這是蘇東坡生命裏第二位值得談起的朋友，他的名字叫潘丙。

他本是考不上進士的舉人，但已絕意功名，賣酒為業，於是與嗜酒的蘇東坡有了交集，也成了蘇東坡在黃州結識的第一位市井朋友。

經潘丙介紹，蘇東坡又結識的另外兩個朋友，一個叫古耕

道，一個叫郭興宗。前者真誠純樸，熱心地方公益事業；後者
自稱是唐代名將郭子儀的後代，在西市賣藥。在蘇東坡眼中，
他們雖説是市井中人，但身上閃爍着質樸與本分的光芒，比一
般士大夫更講義氣。蘇東坡在黃州五年，得他們的照顧不少，
開墾東坡，他們也都出手相助。透過《東坡八首》，我們也能
看見他們的影子：

> 潘子久不調，
> 沽酒江南村。
> 郭生本將種，
> 賣藥西市垣。
> 古生亦好事，
> 恐是押牙孫。
> 家有一畝竹，
> 無時容叩門。
> 我窮交舊絕，
> 三子獨見存。
> 從我於東坡，
> 勞餉同一飧。
> 可憐杜拾遺，
> 事與朱阮論。

吾師卜子夏，

四海皆弟昆。

　　蘇東坡是在元豐三年二月初一抵達黃州的，在元豐七年（公元 1084 年）的春天，他得到朝廷的調令，到離汴京不遠的汝州，任汝州團練副使、檢校尚書水部員外郎。

　　蘇東坡離開黃州，已是四月中旬，陳季常、王齊愈、王齊萬這些朋友都來了，陪伴蘇東坡一道渡過長江。

　　蘇東坡就這樣離開了黃州，從此再也沒有回來過。以後的日子裏，每當他遭遇政敵迫害，痛苦無解時，他都會想起黃州，甚至打算逃回黃州去，在東坡上重新開始耕種生涯。他是一個重情義的人，元祐二年（公元 1087 年）歲暮，他給潘丙寫信，一一問詢舊友的近況，囑咐如有人修築亭榭，需要他題名寫牌的，一律不要客氣。最後，他慨然說道：「東坡不可荒廢，終當作主，與諸君遊，如昔日也。」

　　在蘇東坡的生命裏，還有一位需要特別談起的「朋友」。他的名字已經在前文提起過，不過，那時我們將他視為蘇東坡一生中「最大的政敵」，沒錯，這位「朋友」正是王安石。

　　蘇東坡辭別了黃州，逆着他的來路，順江而下。過金陵時，他一定要去拜見一下此時已經辭官隱居八九年的王安石。

　　當年王安石變法，意欲富國強兵，使大宋王朝擺脫民窮財

困的狀況，認為「天下敝事甚多，不可不革」。當時初入政壇、人微言輕的蘇東坡之所以敢與位高權重的王安石相頂撞，反對變法，不僅因為變法過於草率，新法在實施過程中暴露出許多缺點，更因為王安石固執己見，說一不二，不願聽反對的聲音，甚至開始大刀闊斧地清除異己，致使朝廷清流紛紛掛印而去，留下一班小人圍着他轉，把朝廷鬧得烏煙瘴氣。

但是，無論蘇東坡與王安石有着怎樣的政治紛爭，有一點可以肯定的是：他們都是磊落之人，他們的所有紛爭，動機也都是為了天下百姓，在道德上找不出瑕疵。如今，他們都已退出廟堂，從前的恩怨，也都成了過眼雲煙。這樣的達觀，蘇東坡有，王安石亦有。

聞聽蘇東坡過金陵，王安石沒有像等待米芾那樣等待蘇東坡，而是等不及蘇東坡前來晉謁，就已騎上小驢，到江邊船上，主動去尋找蘇東坡了。

一見王安石，蘇東坡就感到這位曾經叱咤風雲的老宰相身上的巨大變化。當年那個號稱「祖宗不足法、天命不足畏、人言不足恤」的王安石早已不見了蹤影，取而代之的是一個謹小慎微的衰弱老人。

在那段時間裏，二人飲酒話舊，讓蘇東坡對王安石當年的做法多了幾分理解。以前，蘇東坡覺得王安石對自己成見甚深，處處與自己過不去，是個心胸狹隘、嫉賢妒能的小人。

現在想來，其實不然。

他為王安石寫下一首詩：

> 騎驢渺渺入荒陂，
>
> 想見先生未病時。
>
> 勸我試求三畝宅，
>
> 從公已覺十年遲。

大意是，歷經十年風雨，我和先生一起歸隱，已經覺得太晚了。

其實，作為一代文宗，王安石一直關注着遠在黃州的蘇東坡，因為蘇東坡的詩詞、散文、書法、繪畫，同樣讓王安石深深着迷。

蘇東坡、王安石之所以能在紫金山下相逢一笑，成為對飲暢聊的知己，一個很重要的緣由，是二者的身份都發生了轉變。此時的他們，早已遠離朝闕，他們都是那個時代最偉大的文人和藝術家，他們在文化上的抱負，讓所有的宮廷爭鬥都成了陪襯。

文學、藝術在不知不覺中，彌合着橫亘在兩人之間的鴻溝。

那一次，金陵相別時，王安石曾慨然長歎：「不知更幾百年，方有如此人物！」

王安石的評説十分正確。

近千年過去了，蘇東坡這樣的人物，早已隨大江東去，成了絕版。

《水調歌頭》是寫給誰的？

除了摯友相伴，兄弟間的親情也時常溫暖、牽掛着蘇東坡的心。

二十多年前的嘉祐六年（公元 1061 年），蘇氏兄弟在歐陽修等人的薦舉下，參加了天子特詔考試——制科特考。為了準備這次考試，他們特地從汴京西岡搬到了僻靜的汴河南岸懷遠驛。那時，雖然生活清苦，卻是蘇氏兄弟一生中難得的共處時光。

他們每日三餐，桌上只有白飯、白蘿蔔和白鹽，蘇東坡給朋友劉放寫信，説他們每天都吃「皛飯」。「皛飯」，就是「三白飯」。過了一段時間，劉放給蘇東坡發了一道請帖，邀請蘇東坡前往吃「三白飯」。蘇東坡整日苦讀，早已忘記甚麼是「皛飯」，還以為是大餐，欣然前往，看見桌上只有白飯、白蘿蔔和白鹽，了然大笑。

他們的居住條件也是簡陋的。時入秋季，風雨時常夾帶着

落葉，穿窗入室，蘇轍有肺病，身體單薄，在風雨的寒夜，蘇東坡總是要為弟弟添加些衣服。有一天，蘇東坡讀韋應物詩，讀到「那知風雨夜，復此對牀眠」，突然想到假若他們兄弟此次通過制科特考，就要各自踏上仕途，不能再同吃同睡，不禁悲從中來，對弟弟說，將來為官，要早早退出仕途，一起回到家鄉眉山，再對牀同臥，共度風雨寒夜。這就是他們「風雨對牀」的約定。

此後四十餘年，他們兄弟都同守着這份約定，只是官身不由己，這年輕時的約定，卻越來越難以實現。

那一次制科特考，蘇氏兄弟都成績不俗，蘇東坡被任命為鳳翔府僉判，蘇轍為祕書省校書郎。宋仁宗喜形於色，對皇后說：「吾今日又為子孫得太平宰相兩人。」他所說的兩位太平宰相，就是指蘇軾、蘇轍。旦夕之間，三蘇父子已名動京城。

然而，蘇東坡一生與弟弟蘇轍離多聚少，因而有許多詩詞是寫給弟弟的。

蘇東坡第一次為官，到鳳翔赴僉判任時，蘇轍把他一路送到鄭州，才一步一回頭地返往汴京。臨別前，兄弟二人相互以詩為贈。蘇轍誦道：「相攜話別鄭原上，共道長途怕雪泥。」

「雪泥」一詞引發了蘇東坡的靈感，一首詩自心頭湧起：

人生到處知何似？

應似飛鴻踏雪泥。

泥上偶然留指爪，

鴻飛那復計東西。

老僧已死成新塔，

壞壁無由見舊題。

往日崎嶇還記否，

路長人困蹇驢嘶。

　　離別之際寫下的詩，表達出對人生無定的無限感慨。詩的後四句，寫的都是他們兄弟共同經歷的記憶，但它們轉眼之間，就成了雪泥鴻爪、過眼雲煙。後人用「雪泥鴻爪」一詞來形容生命的短暫與多變。

　　熙寧七年（公元 1074 年），蘇東坡在杭州任滿，因蘇轍當時在濟南為官，而兄弟兩人自從潁州一別後已經三年沒見，蘇東坡思弟心切，於是上奏朝廷，希望調往山東，與弟弟蘇轍離得近些。蘇東坡就這樣調任密州知州。時入嚴冬，到濟南去的河道已經冰凍停航，蘇東坡只得放棄了繞道濟南的計劃，沒能與弟弟見面。

　　熙寧九年（公元 1076 年）八月十五，蘇東坡與僚友飲酒於超然台上，這是他到密州後最快樂的一次盛會，但是客逢佳

節，又不免苦念蘇轍，他大醉，作了這首最著名的《水調歌頭》：

明月幾時有，
把酒問青天。
不知天上宮闕，
今夕是何年？
我欲乘風歸去，
又恐瓊樓玉宇，
高處不勝寒。
起舞弄清影，
何似在人間。

轉朱閣，
低綺戶，
照無眠。
不應有恨，
何事長向別時圓！
人有悲歡離合，
月有陰晴圓缺，
此事古難全。
但願人長久，
千里共嬋娟。

　　許多人以為這首詞是寫給佳人的，卻很少有人知道，這佳人，原來不是別人，而是他最親愛的弟弟。這詞的副題，便是「丙辰中秋，歡飲達旦，大醉。作此篇，兼懷子由」。

　　有人評價：「他寫出了人生非常平凡，可是又非常動人的情感，每次到中秋節你都會想到這首詞，覺得蘇東坡的文學偉大，在於寫出人的心聲最內在的一種感覺，我想我們常常說偉大的文學跟偉大的藝術，都是能夠使人共鳴的，那共鳴是說我的感情跟你的感情跟他的感情是有共同性的。」

　　元祐年間兄弟倆再度入京，終於同朝為官，對於他們，已是極大安慰。元祐三年（公元 1088 年），蘇東坡寫下一首《出局偶書》，表達他每日要見弟弟蘇轍的急迫心情：

> 急景歸來早，
> 窮陰晚不開。
> 傾杯不能飲，
> 留待卯君來。

　　傾起杯子，卻不能一飲而盡，只為等待一個人的歸來。

　　那人就是卯君。卯君是蘇轍的乳名。

甚麼是「西園雅集」？

元祐二年五月，蘇東坡這些在動蕩中離散的朋友們又重新聚集起來。曾來黃州的米芾、京師初交的李公麟等，都聚集在他的身邊。

他們在王詵的西園舉行了一次雅集，參加者有：蘇東坡、蘇轍、黃庭堅、秦觀、米芾、蔡肇、李之儀、鄭靖老、張耒、王欽臣、劉涇、晁補之、王詵、李公麟，還有僧人圓通（日本渡宋僧大江定基）、道士陳碧虛，共十六人，加上侍姬、書僮，共二十二人。松檜梧竹，小橋流水，極園林之勝。賓主風雅，或寫詩，或作畫，或題石，或撥阮，或看書，或說經，極宴遊之樂。李公麟以他首創的白描手法，用寫實的方式，描繪當時的情景，取名《西園雅集圖》。

這樣的雅集，在宋代十分常見。

宋代，是文人生活最為雅緻的時代。不僅書法繪畫、詩詞曲賦，甚至連衣食住行以及日常生活的方方面面，都成了藝術。在宋代，士人們找到了比權力和財富更高的價值，他們發現並且積極地營造着屬於個人的物質和精神空間。藝術家，其實就是最好的生活家。

比如飲茶的習慣，雖然至少在孔子的時代就有，公元 3 世紀的張儀在著作中記錄了四川和湖北的茶葉種植情況；漢墓

中也有茶葉出土；六朝時代，宮廷不只飲酒，而且飲茶；唐代，茶更成為平民百姓的日常飲品，成了國飲。但到了宋代，飲茶方法、器皿才更加精細，成為生活品位的標誌，成為一種文化，甚至與士大夫的精神世界達成了一種無法忽略的默契。宋人飲茶，為的是讓生活的美學得到昇華，在浮華與素樸之間，得到一種平衡的生活。

其實，唐宋時期的飲茶方法也有不同，從南宋劉松年《盧仝烹茶圖》可以看出，唐人喜歡煎茶，就是在風爐上的茶釜中煮水，「其水，用山水上，江水中，井水下」，同時把茶餅碾成不太細的茶末，等水微沸，把茶末投進去，用竹筷攪動，待浮沫漲滿釜面，便酌入茶碗中飲用。

TIP

我們今天的許多生活品位，都是奠基於宋代的。比如花、香、茶、瓷，還有蘇東坡參與調製的諸多美食，雖不是宋人的首創，卻是由宋人賦予了雅的品質，換句話說，是宋人從這些本來屬於日常生活的細節中提煉出高雅的情趣，並且因此為後世奠定了風雅的基調。

《盧仝烹茶圖》卷（局部）

南宋・劉松年

北京故宮博物院 藏

　　晚唐時，又開始流行點茶，就是把茶末直接放到盞中，用煮好的開水沖茶。但它對水流的直順、水量的多少、落水點的準確性都有要求，技術含量並沒有降低。

　　到了宋代，點茶已成為一種普遍的習俗，宋人茶書，如蔡襄《茶錄》、宋徽宗《大觀茶論》，所述均為點茶法。宋人在宴會（包括家宴）以及文人雅集中，常用點茶法。不僅李公麟《西園雅集圖》，包括宋徽宗《文會圖》、南宋佚名《春宴圖》《會昌九老圖》所描繪的文人雅集場面，都暗含着點茶的細節。

　　蘇東坡曾在一首七言古詩《試院煎茶》中，對點茶與煎茶之別，記得真切：

蟹眼已過魚眼生，

颼颼欲作松風鳴。

蒙茸出磨細珠落，

眩轉繞甌飛雪輕。

銀瓶瀉湯誇第二，

未識古人煎水意。

君不見，

昔時李生好客手自煎，

貴從活火發新泉。

又不見，

今時潞公煎茶學西蜀，

定州花瓷琢紅玉。

我今貧病長苦飢，

分無玉碗捧蛾眉。

且學公家作茗飲，

磚爐石銚行相隨。

不用撐腸挂腹文字五千卷，

但願一甌常及睡足日高時。

　　除此，宋人在衣飾、家具、房屋、庭園、金石收藏與研究
等方面，也都達到極高的高度。

　　西園雅集，後來也如夜訪赤壁一樣，成為被歷代畫家不斷
回放的經典場景，北宋王詵、米芾，南宋馬遠、劉松年，元代
趙孟頫（傳），明代仇英、唐寅、文徵明、杜瓊等，都曾做過
這樣的同主題創作。

　　從《西園雅集圖》中，我們可以看到那個時代不同的文藝
組合，比如「三蘇」中的兩蘇（蘇軾、蘇轍）、書法「宋四家」
中的三家（蘇軾、黃庭堅、米芾）、「蘇門四學士」（黃庭堅、
秦觀、張耒、晁補之）……在中國的北宋，一個小小的私家
花園，就成為融匯那個時代輝煌藝術的空間載體。

　　當時「蘇門四學士」都在汴京，因此，元祐年間成為「蘇門」的鼎盛時期。那是中華文明中至為絢爛的一頁。

《**西園雅集圖**》卷（局部）

南宋・劉松年

台北故宮博物院 藏

嶺 南

元祐八年（公元 1093 年）始，蘇東坡的夫人王閏之和一直保護他的高太后相繼去世，他的生命中又迎來了可怕的逆轉。

年少的宋哲宗在一群誤國小人的慫恿下，開始瘋狂打擊元祐大臣。而此時登上相位的章惇，這個蘇東坡的故交也決意首先拿蘇東坡開刀。

四面楚歌的蘇東坡又開始了一路被貶的歷程，由汴京，到定州，到英州，到惠州，最後終結在海南島「百物皆無」的儋州，越貶越遠。

日啖荔枝三百顆，不辭長作嶺南人

甚麼是「貶謫文化」？

元祐八年，蘇東坡在五十八歲時被罷禮部尚書，出知定州。幾個月後，宋哲宗死，趙佶繼位，史稱宋徽宗。

第二年，紹聖元年（公元 1094 年），高太后去世的那一年閏四月初三，蘇東坡接到朝廷的詔告，撤銷他的端明殿學士和翰林侍讀學士兩大職務，出知英州。

從河北的定州前往廣東的英州，如此漫長的道路，沒有飛機，沒有高鐵，必須徒步行走，中間要跨過無數的山脈與大河，對於一位年近六旬的老人來說，能活着走過去就不容易，連蘇東坡都認為自己必將死於道途。但這一路，蘇東坡不僅走過來了，而且還玩得挺高興。

除了都會大城，那時的水陸交通，並不像今天這樣繁忙。若非書生趕考，公務羈旅，或逢饑饉戰爭，古代的中國人更喜歡做「宅男宅女」，而不喜歡四處遊蕩。

中國人家園的觀念根深蒂固，他們像植物一樣固定在大地上，而國土面積之巨大、古時交通之不便，更在客觀上壓縮了人們的生活區域。像許多平原地區，並沒有高山大川相隔，但那裏依舊是閉塞的，究其原因，不是地理上的，而是文化上的。除了像南北朝時期著名的山水詩人謝靈運那樣既有閒錢又有閒情的人，才把「腰纏十萬貫，騎鶴下揚州」視為一場美夢，一

般的中國人，都會對長途行旅的困頓艱辛心存畏懼。

宋代不殺文官，卻形成了一種奇特的貶官文化。這個文化，別的朝代沒有。官場放逐，反而使許多文官寄情山水，在文化上完全了自我。

宋代是真正的「人類群星閃耀時」，但這群星中的大部分人都沒逃過貶謫。對於宋代文人來說，貶謫似乎已不是「無妄之災」，而幾乎成為必須接受的命運，成了他們官場生涯的必修課，讓他們在政治夢想中斷的地方，生長出新的生命意義。

於是，我們看到一個有趣的現象，宋代文人貶謫的高峰，同時也是中國文學和藝術創作的高峰。范仲淹被貶知鄧州，寫下了《岳陽樓記》；蘇舜欽被開除公職，扁舟南遊，旅於吳中，寫下《滄浪亭記》；歐陽修被貶知滁州，寫下了《醉翁亭記》。《岳陽樓記》《滄浪亭記》《醉翁亭記》，中國散文史上這著名的「三記」，居然都寫於同一時期，而且都與貶謫、削籍這些倒霉的事有關。

這些貶謫之地，也因此不再是這些文官臨時待過的一個地方，而是成了他們精神上的再生之地。歐陽修自號「醉翁」，蘇軾自號「東坡居士」，黃庭堅自號「涪翁」（黃庭堅另一號為「山谷道人」，是他在赴任太和知縣時取的），都是以貶謫之地為自己命名，以此來表達對它們的紀念。這些貶謫之地、流放之所，也成了中國文學、藝術史上的聖地。

在貶謫之地，他們脫胎換骨，變成了那個最好的自己。這是貶所的風水所養，是艱苦的環境所煉，也是他們的內心所修。

但值得說明的是，眾多遭遇貶謫的文官中，很少有人比蘇東坡走得更遠。他的道路始於西部的眉州，向東到汴京，向北到定州，此次又要向南折往英州，不久，他還要渡海，奔赴更加荒遠的瓊州。大宋帝國的地圖上，留下他無數的折返線。這些線路，就像他在政治上的顛簸曲線一樣，撕扯着他，也成全着他，讓他的生命獲得了別人所沒有的空間感。

嶺南如何成就了「吃貨」蘇東坡？

蘇東坡是在紹聖元年的九月翻過大庾嶺的。

從中原到南方，有一道道山脈遮天蔽日，截斷去路，好在還有河流，自高山峽谷之間的縫隙穿入，成為連接南北的交通線。

那個年代，縱穿帝國南北的道路主要有兩條：一條是從大運河入長江，再入贛江，翻南嶺，過梅關，入珠江流域；還有一條是由長江入湘江，經靈渠，再進入珠江流域。無論哪一條，都凶險異常。相比之下，由中原到嶺南，走贛江距離更短，因而，不同時代的名人從贛江經過，在這裏「狹路相逢」，在宋

代就有歐陽修、蘇東坡、辛棄疾、文天祥……

　　或許很多人都不曾想到過，這條蠻荒中的「道路」，竟然成了許多人的共同記憶，也成了中國歷史上一個重要的文化現場。它像一根繩子，把許多人的命運捆綁在了一起，不是捆綁在一個相同的時間中，而是捆綁在一個相同的空間中。

　　蘇東坡從這裏經過的時候，想躲過前人是不可能的，就像後來者在這裏也躲不過他一樣。

　　贛江上有十八灘，是公認的事故多發地段。這裏落差大，礁石多。江水在暗礁中奔湧，勢同奔馬，讓人望而生畏。

　　再往前，一道山影橫在眼前，是南嶺。

　　翻過去，就是嶺南了。

　　蘇東坡是中國歷史上被貶到大庾嶺以南的第一人。

　　那才是「西出陽關無故人」。

　　那關，是南嶺第一關——梅關。它像一道閘門，分開贛粵兩省。梅關隘口的古驛道，同樣是張九齡主持開建的，而石壁上兩個巨大的「梅關」題字，卻是宋代嘉祐八年（公元 1063 年）刻上去的。蘇東坡來時，那兩個字已赫然在目。

　　蘇東坡寫下《過大庾嶺》：

> 一念失垢污，
> 身心洞清淨。

浩然天地間，

惟我獨也正。

今日嶺上行，

身世永相忘。

仙人拊我頂，

結髮授長生。

　　他的詩裏，早已不再有絕望和抱怨，只有寬容和接受。他既樂天，又憫人。樂天，是樂自己；憫人，是憫百姓。他的生命裏，不再有崎嶇和坎坷，只有雲起雲落，月白風清。

TIP

嶺南，因地處「五嶺」（也叫「南嶺」，即大庾嶺、騎田嶺、萌渚嶺、都龐嶺、越城嶺）之南而得名。即使到了宋代，也是遙遠荒僻之地，用今天的話說，叫欠發達地區，只有廣州等少數港口城市相對繁榮。五嶺磅礴，隔斷了中原的滾滾紅塵，周圍只有望不到頭的大山。而那些山，就是用來跋涉的。唐代的詩人宰相張九齡曾經主持開鑿過大庾嶺驛道，劈山炸石，以打通中原與嶺南，算是開了一條「國道」，但即使是「國道」，也異常艱險。

這個梅關，還真是梅之關。梅關南北遍植梅樹，每至寒冬，梅花盛開，香盈雪徑。一過梅關，大面積的梅花就闖進了蘇東坡的視線，盛開如雲。

那時才是十一月，蘇東坡剛到廣東惠州，松風亭下的梅花就開了。蘇東坡的心底，情不自禁地湧起一陣感慨。

他抬筆，寫了一首詩：

春風嶺上淮南村，
昔年梅花曾斷魂。
豈知流落復相見，
蠻風蜑雨愁黃昏。
長條半落荔支浦，
臥樹獨秀桃榔園。
豈惟幽光留夜色，
直恐冷豔排冬溫。
松風亭下荊棘裏，
兩株玉蕊明朝暾。
海南仙雲嬌墮砌，
月下縞衣來扣門。
酒醒夢覺起繞樹，

妙意有在終無言。

先生獨飲勿歎息，

幸有落月窺清樽。

　　梅蘭竹菊四君子，蘇東坡專門畫竹，不見他畫梅，但他的詩裏有梅。蘇東坡這首《十一月二十六日松風亭下梅花盛開》，是讀詩者繞不過去的。因為這詩，把梅花的秀色孤姿描摹到了極致。

　　蘇東坡不畫梅，揚無咎替他畫了。揚無咎筆下的墨梅，不是「近墨者黑」，而是在黑白中營造出絢麗耀眼的光芒與色彩。陽性的枝幹，挺拔粗糲，陰性的梅花，圓潤娟秀，那淵靜的黑與純淨的白，彼此映襯和成就，各有風神與風骨。北京故宮博物院收藏有他的《四梅花圖》卷和《雪梅圖》卷，我幾乎是過目不忘的。

　　梅花沒有變，是人變了。蘇東坡的身體變老了，內心卻變得雄健了，就像眼前的梅花，不懼夜寒相侵。他早已看透人世滄桑，五毒不侵。

　　就像今天人們常說的，半杯水，他不看那失去的半杯，只看剩下的半杯。

　　最經典的例子，當然是蘇東坡吃羊脊骨的故事。

　　那時，惠州城小，物資匱乏。由於經常買不到羊肉，蘇東

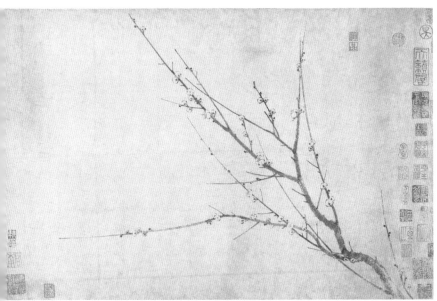

《四梅花圖》卷（局部）

南宋・揚無咎

北京故宮博物院 藏

坡就從屠戶那裏買沒人要的羊脊骨。他發現這些羊脊骨之間有沒法剔盡的羊肉，於是把它們煮熟，用熱酒淋一下，再撒上鹽花，放到火上燒烤，用竹籤慢慢地挑着吃，就像如今我們吃螃蟹一樣。

這就是今天流行的「羊蠍子」的吃法。它的祖師爺，依然可以追溯到蘇東坡。後來蘇東坡給蘇轍寫信，隆重推出他的羊脊骨私家製法，對自己的創造力沾沾自喜。信中還説，這樣做，會讓那些等着啃骨頭的狗很不高興。

蘇東坡依舊自己釀酒，就像在黃州那樣，給自釀的酒起了桂酒、真一、羅浮春這些名目。釀酒的材料是大米，蘇東坡客多，飲酒量也大，有時酒沒了，去取米釀酒，才發現米也沒了，不禁站在那裏發呆，心裏步陶淵明《歲暮和張常侍》詩韻，暗自作了一首詩：

> 米盡初不知，
> 但怪飢鼠遷。
> 二子真我客，
> 不醉亦陶然。

對於蘇東坡這樣的吃貨，遙遠、荒僻的惠州並不吝嗇，它以檳榔、楊梅、荔枝這些風物土產犒勞蘇東坡貪婪的味蕾，讓

他這個地道的蜀人樂不思蜀。語云:「飢者易為食。」對於一個吃不飽飯的人來說,任何食物都堪稱美味。蘇東坡與友人夜裏聊天,肚子餓了,煮兩枚芋頭都是美味。相比之下,朝廷中的高官們,錦衣玉食,還歎無處下箸,倒顯得悲哀可憐。

荔枝這種水果,為南國特產,在山重水隔的中原,十分少見,對蘇東坡來說,也很新奇。在蘇東坡心中,荔枝之味,「果中無比」,它的豐肥細膩,只有長江上的瑤柱、河豚這兩種水產可以媲美。

蘇東坡為荔枝寫過不少詩,最有名的,就是這一首:

> 羅浮山下四時春,
> 盧橘楊梅次第新。
> 日啖荔枝三百顆,
> 不辭長作嶺南人。

蘇東坡在家書中跟兒子開玩笑說,千萬別讓自己的政敵知道嶺南有荔枝,否則他們都會跑到嶺南來跟他搶荔枝的。

蘇東坡的晚年是如何度過的？

公元 1097 年，來自朝廷的一紙詔書，又把蘇東坡貶到更加荒遠的瓊州，任昌化軍安置，弟弟蘇轍也被謫往雷州。

蘇東坡知道，自己終生不能回到中原了。長子蘇邁來送別時，蘇東坡把後事一一交代清楚，如同永別。那時的他，決定到了海南之後做的第一件事，就是為自己確定墓地和製作棺材。他哪裏知道，在當時的海南，根本沒有棺材這東西，當地人只是在長木上鑿出臼穴，人活着存稻米，人死了放屍體。

那時的蘇東坡，白髮蒼然，子然一身，只有最小的兒子蘇過，拋妻別子，孤身相隨。年輕的蘇過，過早地看透了人世的滄桑，這也讓他的內心格外早熟。他知道，父親一貶再貶，是因為他功高名重，又從來不蠅營狗苟。他知道，人是卑微的，但是自己的父親不願因這卑微而放棄尊嚴，即使自然或命運向他提出苛刻的條件，他仍不願以妥協而實現交易。這一強硬的姿態是原始的，類似於自然物的仿製。一座山、一塊石、一棵樹，都是如此。甚至一葉草，雖然弱不禁風，也試圖保持自己身上原有的奇跡。這卑微裏，暗藏着一種偉大。所以，有這樣一位父親，他不僅沒有絲毫責難，相反，感到無限的榮光。蘇過在海南寫下《志隱》一文，主張安貧樂道的精神，蘇東坡看了以後，心有所感，説：「吾可以安於島矣。」

　　在宋代，已經有了「海南」之名。海南島在大海之中，少數民族眾多，語言、風俗皆與大陸迥異，《儋縣志》記載：「蓋地極炎熱，而海風苦寒。山中多雨多霧，林木陰翳，燥濕之氣不能遠，蒸而為雲，停而為水，莫不有毒。」還說，「風之寒者，侵入肌竅；氣之濁者，吸入口鼻；水之毒者，灌於胸腹肺腑，其不死者幾稀矣。」描述了非常可怕的景象。中原人去海南，十去九不還。

　　不出蘇東坡所料，到達海南後，他看到的是一個「食無肉，出無輿，居無屋，病無醫，冬無炭，夏無泉」的「六無」世界。

　　但對於蘇東坡來說，最痛苦的，還不是舉目無親，「百物皆無」，而是沒有書籍可讀。倉皇渡海，當然不會攜帶書籍，無書可讀的窘境，常令蘇東坡失魂落魄。於是，蘇東坡父子就開始動手抄書。

> **TIP**
>
> 在黃州，蘇東坡釀過蜜酒；在潁州，他釀過天門冬酒；在定州，他釀過松子酒；在惠州，為了除去瘴氣，他再釀過桂酒；此時在海南，為了去三尸蟲，輕身益氣，他再釀天門冬酒。

那段日子裏，父子二人以詩文唱和，情深感厚，情趣相得。

在黃州時，蘇東坡以為自己墮入了人生的最低點，那時的他並不知道，他的命運，沒有最低，只有更低。但是對人生的熱情與勇氣，仍然是他應對厄運的殺手鐧。在儋州，他除了寫書、作詩，又開始釀酒。有詩有酒，他從理想與現實的衝突與悲情中解脫出來，內心有了一種節日般的喜悅。

剛到海南時，蘇東坡經常站在海邊，看海天茫茫，寂寥感油然而生，不知自己甚麼時候才能離開這孤島。後來一想，九州大地，這世上所有的人，不都在大海的包圍之中嗎？蘇東坡說，自己就像是小螞蟻不慎跌入一小片水窪，以為落入大海，於是慌慌張張爬上草葉，心慌意亂，不知道會漂向何方。但用不了多久，水窪乾涸，小螞蟻就會生還。從人類的眼光來看，小螞蟻很可笑，同樣，從天地的視角裏，他自己的個人悲哀也十分可笑。

在海南，被陽光鍍亮的樹木花草，動物的脊背、歌聲，甚至鬼魂，都同樣可以讓他喜悅。

公元 1100 年，宋徽宗即位，大赦天下，下旨將蘇東坡徙往廉州，蘇轍徙往岳州。台北故宮博物院收藏的《渡海帖》（又稱《致夢得祕校尺牘》），就是這個時候書寫的。只不過這次渡海，不是從大陸奔赴海南，而是從海南島渡海北歸，返回大陸。

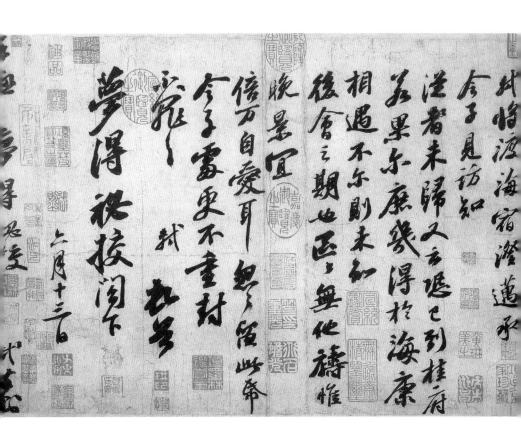

《渡海帖》頁

北宋・蘇軾

台北故宮博物院 藏

這幅《渡海帖》，被認為是蘇東坡晚年書跡之代表，黃庭堅看到這幅字時，不禁讚歎：「沉着痛快，乃似李北海。」

蘇東坡就這樣告別了那個島，告別了颱風與海嘯，告別了那些朝朝暮暮的烈日與細雨，告別了林木深處的花妖，帶上行囊裏僅有的書，重返深遠的大陸。

越過南嶺，經贛江入長江，船至儀真時，蘇東坡跟米芾見了一面。米芾把他珍藏的《太宗草聖帖》和《謝安帖》交給蘇東坡，請他寫跋，那是六月初一。

兩天後，蘇東坡就瘴毒大作，猛瀉不止。到了常州，蘇東坡的旅程，就再也不能延續了。七月裏，常州久旱不雨，天氣燥熱，他病了幾十日，二十六日，已到了彌留之際。

他對自己的三個兒子說：「吾生無惡，死必不墜。」意思是，我這一生沒做虧心事，不會下地獄。

蘇東坡病中，他在杭州時的舊友、徑山寺維琳方丈早已趕到他身邊。此時，他在蘇東坡耳邊大聲說：「端明宜勿忘西方！」

蘇東坡氣若游絲地答道：「西方不無，但個裏着力不得！」

錢世雄也湊近他的耳畔大聲說：「固先生平時履踐至此，更須着力！」

蘇東坡又答道：「着力即差！」蘇東坡的回答再次表明了他的人生觀念：世間萬事，皆應順其自然；能否度至西方極樂

世界，也要看緣分，不可強求。他寫文章，主張「隨物賦形」，所謂「行於所當行」「止於不可不止」，他的人生觀，也別無二致。西方極樂世界存在於對自然、人生不經意的了悟之中，絕非窮盡全力臨時抱佛腳所能到達。死到臨頭，蘇東坡仍不改他的任性。

蘇邁含淚上前詢問後事，蘇東坡沒有做出任何回應，溘然而逝。

那一年，是公元 1101 年，12 世紀的第一個年頭。

九百年後，2000 年，法國《世界報》在全球範圍內評選 1001—2000 年間十二位世界級傑出人物，蘇東坡成為中國唯一入選者，被授予「千古英雄」稱號。

蘇東坡給予那個時代的，比他從時代中得到的更多。當枯樹發芽，石頭花開，一張張紙頁成為傳奇，人們就會從那些古老的紙上，嗅出舊年的芬芳。

講給孩子的故宮 – 又見蘇東坡

祝 勇 著

責任編輯　楊　歌
裝幀設計　吳丹娜
排　　版　吳丹娜
印　　務　劉漢舉

出版
中華教育
香港北角英皇道四九九號北角工業大廈一樓 B
電話：（852）2137 2338　傳真：（852）2713 8202
電子郵件：info@chunghwabook.com.hk
網址：http://www.chunghwabook.com.hk

發行
香港聯合書刊物流有限公司
香港新界荃灣德士古道 220-248 號樓
荃灣工業中心 16 樓
電話：（852）2150 2100　傳真：（852）2407 3062
電子郵件：info@suplogistics.com.hk

印刷
美雅印刷製本有限公司
香港觀塘榮業街六號海濱工業大廈四樓 A 室

版次
2022 年 5 月第 1 版第 1 次印刷
©2022 中華教育

規格
特 16 開（210mm×148mm）

ISBN
978-988-8760-97-8